一対一でも大勢でも
人前であがらずに話す技法

森下裕道

大和書房

プロローグ

あがらずに話せたら……と思ったことはありませんか？

こんにちは！

本書を手にとっていただき、ありがとうございます！

この本は、あがり症や緊張で30年以上悩み続けてきた著者が書いた、あがり症を確実に克服するための本です。

ところで、あなたに聞きたいことがあります。

あなたがあがったり、緊張したりするときは、どのようなときでしょうか？

次のシチュエーションであてはまるものをチェックしてみてください。

あなたの「あがり症度」をチェックしよう

- □ 大勢の前での話やスピーチ
- □ 朝礼でのちょっとしたスピーチ
- □ プレゼンでの発表や報告
- □ 目上の人(社長や役員、上司、取引先など)と話をするとき
- □ 目上の人が多い会議の席での発言やいきなり質問を振られたとき
- □ 新しい会社や職場(部署)に行くとき
- □ 就職や転職の面接を受けるとき
- □ 上司に嫌な報告をしなければいけないとき
- □ 会社の電話をとったとき
- □ セミナーやパーティーなどの司会進行を頼まれたとき
- □ 初対面の人と会うとき
- □ 試験(入試、昇級、資格など)を受けるとき
- □ スポーツの試合や大会前、趣味や習い事の発表会や演奏会
- □ 異性と会うとき、話すとき
- □ 飲み会や合コンでの乾杯・締めのあいさつ、自己紹介をするとき
- □ 好意を寄せている人に告白するとき
- □ 目上の人や複数の人と名刺交換をするとき
- □ お客さまにお茶を出すとき
- □ 人が見ている前で字を書くとき
- □ 異業種交流会やセミナー、パーティーなどに参加したとき
- □ 自分には馴れない高級レストランに行ったとき

あなたは、いくつあてはまったでしょうか？

5個以上あてはまったなら、本書を読む価値は十分あります。

10個以上というなら、重症です。あなたは間違いなくあがり症ですので、すぐにレジに向かってください。

なかには、「これ、全部だよ！」と言う方もいるかもしれません。

しかし、大丈夫です！**あなたのあがりは絶対によくなります！**


実は、私も「極度の」あがり症だった!!

実は、私も驚くぐらいのあがり症でした。

・人前に立つと、手や足がブルブル震え、顔や背中、脇の下に大量の汗をかく
・会議で発言しようと思うと、体中が震えてしまう
・話そうとしても、口がひどく渇いてしまって、ほとんど話せなくなる
・突然の質問や目上の人と話すと、頭が真っ白になってしまう

・プレゼンになると、どもったり、言葉に詰まったり、声が震えたりする
・名刺交換では手が震える。特に一度に複数人との交換は最悪！
・異性と話すと緊張する。しかも好きな異性の前ではひどくあがってしまう
・初対面の人と会うと緊張する
・会社の飲み会のちょっとした乾杯のあいさつさえも、とても緊張してしまう
・プレゼンや面接があると、1週間以上前から不安で眠れなくなる
・少しでも緊張する場面になると、心臓がかなりドキドキする
・レストランで、ナイフとフォークを使うだけで緊張する
・人が見ているなかで、文字を書くだけで手が震えてしまう
・緊張すると、喉がカラカラになる上、トイレが尋常でないほど近くなる

――これは全部、過去の私のことです。

当然、こんな自分自身が嫌でしょうがありませんでした。あがりのため、不安や恐怖に悩まされ、何度失敗し、何度恥をかき、どれだけ自己嫌悪に陥ったかわかりません。チャンスだとわかっていても逃げ出し、後悔していることだってあります。

私はあがりでずっと悩んできました。本気で悩んできました。いろんな方法を試しました。必死で緊張をとる方法を探したり、考えてきました。

そして、**緊張をカンタンにとることができる、ある方法を見つけたのです！**

今まで誰よりも悩んできたからこそ、私はこの本を書けたと自負しています。

今だから言えるのですが、緊張をとるのは決して難しくありません！

今までの方法ではうまくいかなかった理由

もしかしたら、あなたは、

「**あがりの本は、結局、どれも同じことしか書いてないからな……**」

と思ったかもしれません。

その通りです！　私もずっと悩んでいたので、手当たり次第、あがりや緊張をとる本を読みました。しかし、どれも結局は「場数を踏め！」であったり、「呼吸法」であったり、「緊張を受け入れろ！」とか、「人をカボチャと思え！」とか、「お決まりの呪文を唱える」ものとか、「単なるプレゼンスキルの羅列」だったりするものとか、そんなものがほとんどでした。

声を大にして言いますが、こんなことでは一向によくなりません！

もちろん、まったく効果がないとは言いません。気休め程度にはなるでしょうし、あがり度合いが低い人には効果があるかもしれません。でも、

「自分は人よりあがりで悩んでいる」

「人にはあがりで困っているようには見られないけど、実はかなりのあがり症である」

という方には効果が薄いです。

確かに、場数は踏んだほうがいい。そんなことは、誰だってわかっていることでしょう。でも、それでも良くならなかったり、わかっちゃいるけど、それができなかったりするのではないでしょうか？

また、場数を踏んでも、「自信があること」や「得意なこと」ほど、緊張してしまうというのもあるのではないでしょうか？　**ただ場数を踏むだけでは良くなりませ**

ん。〝あること〟を意識しなければ、意味がないのです。

深呼吸や腹式呼吸などを行なう「呼吸法」も確かにリラックスする効果があります。私も何度も試しました。しかし、より口をカラカラに渇かしただけでした。だから、あがりが人より高いという方にはおすすめしません。

「誰だって緊張するのだから、緊張を受け入れろ！」とか、「緊張したっていい。緊張している自分を好きになれ！」とか、素晴らしい教えだと思います。でも、それでも緊張する自分を変えたいし、それに緊張している自分を受け入れようと思っても、それがなかなかできなかったりするのではないでしょうか？

「人をカボチャと思え！」とか、「お決まりの呪文を唱える」とか、「いろいろなプレゼンスキル」なども、きっとあなたはすでに知っているでしょうし、どれかは試したこともあるでしょう。それでも良くならなかったのではないでしょうか？

たった1つのことで〝まるで別人〟になれる！

実は、緊張をとるためには、たった1つのことを意識すればいいだけなのです！

そのたった1つのことがわかれば、緊張はカンタンにとれるようになります!!

本当かよ？　と思われるかもしれませんが、本当です。

緊張しないという人は、無意識にこのことをしている場合がほとんどです。

私は今では何千人もの前で話すことがありますが、まったく緊張しません。正確に言うと、いい意味で緊張感はありますが、昔のように頭が真っ白になったり、声が震えたり、言葉に詰まったり、手や足がガクガク震えたりするようなことはありません。


何千人を前にしたって、ビクビクせずに、楽しんで話すことができるのです。


あなたも緊張やあがりで今まで相当悩んできたことでしょう。あがり症のため、あきらめたり逃げ出したこと。力が発揮できなかったこと。失敗したことやひどく恥をかいたこともあるでしょう。今でもずっと後悔していることがあるかもしれません。

この本を読み終わった後には、その悩みがきっと解決されます。

もちろん、読むだけではダメですよ。あなたが実際に実践しないといけません。でも、安心してください。本書では、あなたに実践してもらうための仕掛けを随所に施してありますから。

私は自信を持って断言できるのですが、**あがりや緊張から解放されれば、明日からの人生が変わります！**

〝まるで別人〟のように、人生が楽しくなるし、階段を駆け上がるかのように成長していきますよ。

ここまで読んでくれたあなたは、もう変わり始めています。

だって今、あなたはスタート地点に立ったわけですから。

先ほど、「緊張をとるためには、たった1つのことを意識すればいい」とお伝えしました。まず、この話から始めたいと思います。

それでは、第1章「一瞬で『あがり』が止まる秘密のテクニック」のスタートです！

第1章

一瞬で「あがり」が止まる秘密のテクニック

第2章

あがり症を「克服する」効果絶大のトレーニング

第3章

過去も未来も「今、この瞬間」に変える法

第4章

どんな場面でもあがらない「切り抜け」テクニック

恋愛編「また会いたい」と思わせる話法

見開きの左上端には折り線がついています。読んで理解し、実践したところは角を折り曲げるようにしてください。あなたが角を折ったページが増えれば増えるほど、あなたのあがりや緊張は軽減されていくはずです！

第1章
一瞬で「あがり」が止まる秘密のテクニック

なぜあなたは人前で
うまく話せないのか？

緊張はすぐにとることができます。

声や体の震えだって、カンタンに止めることができます。

それは、どうすればいいでしょうか？　まず、次の質問を考えてみてください。

「**緊張している人とそうでない人との決定的な違いとは何でしょうか？**」

緊張している人と緊張していない人には、決定的な違いが1つあるのです。

このことに気づけると、緊張をとることができるようになります。

早く答えを聞きたいのはわかりますが、ここはいったん本を置いて、あなたもこの違いを考えてみてください。

——ちゃんと考えてくれていますか？

ヒントを言います。これが緊張している人とそうでない人の違いがはっきりしていてわかりやすいのですが——

「面接官」と「面接者」の違いだけです。

当たり前ですが、「面接官」は絶対に緊張しないし、「面接者」は緊張しますよね。誰でも面接の場面で緊張した経験はあるかと思います。

では、この「面接官」と「面接者」の違いとはいったい何なのでしょうか？

この違いを意識するようにすると、緊張なんかしなくなるし、たとえ緊張したとしてもすぐにとれるようになりますよ。

「う～ん、評価する側と評価される側とか、採用する側と採用される側とか……」

——こんな声が聞こえてきましたが、私が言いたいこととは違います。

そもそも、これらの違い（面接官が評価する側で、面接者が評価される側など）は最初からわかっているはず。それに、「面接官は評価する側だから……」とこの違いを意識したとしても、緊張がとれることはないでしょう。

「面接者は自分のことをよく見られたいと思っているから……」

――そんなのは当然です。よく、

「自分のことをよく見せようとするから緊張するんだ。ありのままの自分でいけば、緊張なんかしない」

と言う人がいますが、そんなのは無理です。

だって、たとえば、面接だったら自分のことをよく見せたいと思うのは当然のことではないですか？　**ありのままの自分を見せればいい！　なんて言う人は本当に自信がある人のみです**。それができないのではないですか？

「自分に自信がある人とない人の違いじゃないかな？」

――残念ながら、これも違います。

自信があるから緊張しないというのは、そもそも違います。

もちろん、自信がない人は緊張します。しかし、自信があっても緊張するもの。

話が上手な人ほど、実は人前で緊張したりします。また、あなたもそうでしょうが、自信があることほど緊張しませんか？　もちろん、緊張しない場面もありますが、大事なときに限って緊張してしまうことはないですか？

実は、自分に自信がつけば緊張が和らいでくることは確かですが、自信があって緊張なんかしないように見える人でも、緊張する人はとても多いです。

面接官だって面接以外では緊張する!?

先ほど、「面接官」は絶対に緊張しませんとお伝えしました。

その通りです。しかし、「面接官」は面接中には緊張しませんが、他の場面――たとえば、社内のセミナーで司会をしたり、社長や役員の前で話をしたりすると、とたんに緊張しだしたりします。

では、なぜ、面接中には緊張しないのでしょうか？

「面接官は自分のほうが偉いと思っているから」
「面接官は面接者を下に見ているから」

——どちらも私が言いたいこととは違います。

もしこれが正しければ、相手を下に見れば、緊張はとれるということになりますが、そうではないし、仮に正しかったとしても、それでは人間関係が悪くなるでしょう。だって、自分が相手から、下に見られているというのはなんとなく気づくものですから。自分の上司などに自分より下目線で接したら、大変なことになりますよ！（笑）

「面接官は面接を何度も経験していて、場慣れしているからじゃないかな」

——確かに、場慣れすると緊張しなくなってきます。だから、何度も実践して、場慣れすることは大切なことです。

しかし、場慣れしたからといって、緊張はとれないこともあります。**あなたにも何度やっても、いつも緊張してしまうということがあるのではないでしょうか。**

私なんか、きれいな女性が受付にいる会社ではいつも緊張してしまいますから（笑）。

それに、面接官だって面接中でも緊張する場合があります。

面接官の隣に突然偉い人——たとえば、役員などが来て一緒に面接を行なったりすると、急に「面接官」も緊張してしまったりするときがあるのですよ。

「それでは、面接官は面接を真剣にやっているから！」

——もちろん、真剣にやっているから、というのはあります。というか、ときには相手の人生だってかかっているわけですから、真剣にやってもらわないと困ります。

でも、真剣にやったからといって、緊張しないとは限りません。

たとえば、人前で話すとき、いくら真剣にやったって緊張するものです。好きな人に告白するときだって、超真剣なはずです。でも、緊張してしまいますよね？

では、いったい何なのでしょうか？

堂々と話せる人とガクガク震える人との決定的な違い

一生懸命考えてくれたあなたは、さぞかし頭が疲れたでしょう。
お伝えします――。

実は、「面接官」と「面接者」の違いは、

『見ている側』か『見られている側』かの違いだけです。


「面接官」は『見ている側』だから緊張しないんです！

「面接者」は「面接官」に「見られている」と思うから、緊張するわけです。

「お〜、そうか‼」とこのポイントのすごさに気づいてくれた方もいれば、「は〜、そんなこと、当たり前じゃん！」って、肩透かしをくらった方もいるかもしれません。

しかし、ここに緊張をとる最大のヒントが隠されているのです。

あなたが緊張しているときをよく考えてみてください――。

ここ折る

自分が「どんなときに緊張するか」を考えてみよう

- 朝礼で自分の番がまわってきたとき
- 会議の席で発言しないといけないとき
- 何かの発表で人前に立ったとき
- 気になっている異性と話すとき
- 初めて会った人と、名刺交換をするとき
- 偉い人から、突然質問を振られたとき
- 上司に嫌な報告をしなければならないとき
- 人前で祝辞を頼まれたとき
- 自分には慣れない高級レストランに行ったとき

31ページのとおり――

どれも「見られている」と思っているときではないでしょうか？

朝礼で発表するときだって、会議の席で発言するときだって、**相手やまわりに「見られている」と思うから、ドキドキするし、手や足がブルっときたりするのです。**

「見ている」ときは、絶対に緊張していないはず。もちろん、厳しくて怖い上司がいる場合や、あなたが朝礼を真剣に受けている場合、良い意味での緊張感はあると思います。でも、自分が発表する番ではないときは、『見ている側』なので、手や足が震えたりってことはないはず。

初対面の人と話をするとき、好きな異性と話をするとき、偉い人と話をするときだって、その相手に「見られている」と思うから緊張するのではないでしょうか？

では、なぜ、家族と話しているときには緊張しないのか？

ただ、慣れているから緊張しないのではありません。「見られている」と思っていないからなんです。

名刺交換やお茶を出すとき、人前で字を書くときなど、手が震えてしまうことに悩んでいる人がいます。

なぜ、震えるか？　といったら、名刺の出し方、お茶の出し方、字を書いているところを、たとえば「マナー通りにできているか？」「ヘタだと思われはしないか？」などと「見られている」と思うからではないでしょうか。

不慣れな高級レストランに行ったときだってそうです。

店員やまわりのお客さん、もしくは一緒に行った相手に「見られている」と思うから緊張してしまう。「見られている」と思わなきゃ、たとえナイフとフォークの使い方が慣れていなくたって、緊張するわけがありません。自宅で慣れないナイフとフォークを使ったって緊張しませんよね？

当然のことながら、レストランの店員は緊張しません。それは、お客さんのことであったり、料理の進行具合、店の全体的な状況など、『見ている側』だから緊張しないのです。

先ほど、「面接官」は緊張しないけど、偉い役員などが来ると緊張するとお伝えしました。なぜなら、面接しながらも隣の役員に自分が面接している姿を「見られている」と思うからです。

人前で話すことに慣れている学校の先生でも、授業参観は緊張するといいます。

当然、児童の前では緊張しません。それは、児童の様子を一生懸命見て、教え、授業を進めているからです。しかし、授業参観では、後ろや横で児童の親が授業の様子を見ています。親たちから「見られている」意識が働くから緊張してしまうわけです。

これでピタッと止まる!

会話のセンスや度胸は関係ない。まずは「見られている」意識を捨てることから始めよう。

ここ折る

「立ち位置」を変えるだけで、大勢の前でもあがらない！

セミナーをしていると、おもしろいことが起きます。

私が講師として話をしているとき、参加者たちは当然、『見ている側』です。『見ている側』だから緊張なんてしません。

しかし、私が参加者たちに、急に質問し、一人ひとり当てだすとどうでしょう。

とたんに、参加者たちは私に『見られている側』になり緊張しだすのです。

まるで誰かが今、切り替えスイッチのボタンを押したかのように、おもしろいぐらいに変わりだします。『見ている側』から『見られている側』になると、こうも変わるものなのかとつくづく感じるものです。

今では私は何千人も前にして話すことがありますが、緊張感はあってもあがったりはしません。

それは、参加者が私のことを見ているのではなく、実は私のほうが、参加者たちを見ているからです。

だから、たとえば講演終了後、サイン会をしたときに、並んでくれた方に、

「右端の前から3列目に座っていましたよね？」

「すごく楽しそうに聞いてくれていましたよね？」

「途中、瞑想に入ってましたよね？（笑）」

「ピンクのラメが入った、かわいいペンケース使ってましたよね？」

などと声をかけると、みんな驚きます。

相手からしたら何人も参加者がいるから、自分のことなんか見ていないだろうと思うでしょうが、私は一人ひとりじっくり見ているのです。

極度のあがり症なのに、初めて手の震えが止まった！

セミナーで緊張をとる話をする際、参加者の一人に前に出てもらう場合があります。

「よく緊張するという人は手をあげてください」

と言うと、多くの人があげるのですが、そのなかでも特に、誰が見ても「あ〜、この人は緊張しやすい人だな」という人を選び、前に出てもらうわけです。

そして、マイクを持って話をしてもらう。

「とりあえず、自己紹介と何かおもしろい話をしてください」

と私がいじわるなことを言う（笑）。

大勢が見ている前で話すのです。よく緊張するという人だけあって、マイクを持つ手は震えているし、目はオドオドし、顔は赤くなったり、見るからに強張って緊張しているのがわかる。それに、急に自己紹介とか、何かおもしろい話を話せと言われたって、なかなかうまく話せません。

当然、みんなの視線をいっせいに浴び、緊張状態もマックスになっています。

しかし、そこで私が、次のようなことを言って、**しばらくするとマイクを持つ手の震えがパタっと止まるのです。**

「あそこに座っている、ピンクのストールの女性、見てごらん。すごくステキじゃないですか？」

「そうですね……」

「しかも、オシャレですよね？」

「あ、はい……」

「どのへんがオシャレだと思う？」

「え、やはり、ピンクのストールが似合っているところとか……」

「ジャケットの形もオシャレだよねー」

「はい、オシャレ、だと思います」

「どこから来てくれたんだろう？　どこ出身だと思う？」

「え……」

「東京かな？　都会的だよね？　関西ふうではないよね？　東京か、神奈川とか横浜かもしれないね？　どこだと思う？」

「東京じゃないですかね？」

「きっと東京だよねー。ところで、年齢はいくつぐらいだと思う？」

「そうですね……」

「こういうときは、自分が思った年齢にマイナス3して言わなきゃダメだからね（笑）」

てきます。

「でも、若そうに見えるけど、本当はけっこう年いってるかもしれないよ」

などと、失礼なことを言っていると（笑）、マイクを持つ手の震えがパタっと止まっ

「はい（笑）」

なぜ止まるかといえば、『見られている側』から『見ている側』になったためです。

「その女性はどこから来たのかな？」

「年齢はいくつなんだろう？」

「先生がそんな失礼なこと言って怒ってないかな？」

などと思うと、**相手に着目するようになります。**

『見られている側』から『見ている側』に変化するのです。

すると、震えなんか止まるのです。なかには、

「ほら、見ている側になると、手の震えが止まるでしょう？」

と言ったら、震えが止まっている自分の手に驚き、

「生まれて初めて人前で話して、手の震えが止まりました！」

と感激した人もいるぐらいです。

『見ている側』に立てば、どんな人でも緊張しない！

だから、**緊張をとるためには、あなたが『見ている側』に立てばいい。**

それだけのことなんです！

私もあがり症には本当に悩んできて、いろいろと調べ、そして実践してきましたが、これが一番の緊張をとる方法だと自信を持って断言できます。

あなたは、相手やまわりを見ているでしょうか？

自分が「見られている」ことばかり意識してはいないでしょうか？

あなたが『見ている側』に立てば、絶対に緊張なんかしませんよ。

ここ折る

だから、緊張するという場面では誰よりも早くその場所に行く。

たとえば、会議の席でよく緊張するという人は、会議室に一番最初に入ればいい。

そして、一人ひとり入ってきたら、

「お疲れ様です！」

と元気にあいさつをして、その入室から着席までの様子を見ていればいい。会議が始まってからもずっと見ていればいいのです。


待ち合わせだって同じです。

よく営業の本でも、「先に待っていると、主導権を握りやすい」などと書いてあったりしますが、それは『見ている側』になるからなんです。

あなたも人と約束して、時間に遅れたり、もしくは約束通りに行っても相手が先に待っていたりすると、少し緊張したことはありませんか？　名刺を出す手が震えたり、書類を出す手が震えてしまったり……。

それは、相手に「見られている」と思うからです。だから、待ち合わせは時間通りではなく、最低でも20分前には行くようにしましょう。

そして、その場所に着いたらまず、まわりをよく見わたして、相手が来るのを待ちましょう。相手が来るのが見えたら、あなたのほうから笑顔で会釈すればいい。そうすれば、緊張はしなくなるし、もしくは緊張しやすい人もだいぶおさまってきますよ。

相手を見ないと、かえって視線が怖くなる!?

私もセミナーを始めたばかりのころは、ものすごく緊張したものです。

だから、始まる前の休憩時間から演台にスタンバイして、緊張をとるために、入ってくる人や座っている人たちを見ていました。すると、『見ている側』になるので、緊張がどんどん和らいでくるのです。

しかし、大きな講演会などは、主催者の意向もあって、そうはいきません。

「司会者が先生のプロフィールをご紹介致しますので、その後、ご登場をお願いします」

と言われます。当然です。主催者側からしたら、そのほうが盛り上がりますからね。

以前はこの登場の仕方がとても苦手でした。

拍手の大歓声のなか、登場するのはうれしい気持ちもあるのですが、演台についた瞬間、みんなの視線をいっせいに浴びるため、ブルってきてしまうのです。こんなこと、講師をしている者として言うのはなさけないですが、**以前は手が震えて水を飲むことさえもできませんでした。**

しかし、今は違います！　始まる前は少し緊張することもありますが、みんなの前に登場し、いっせいに視線を浴びても大丈夫です。それは、

「それでは、森下裕道先生にご登場いただきましょう。みなさん、大きな拍手でお迎えください」

と紹介され登場しても、私は、

「こんにちは！　森下裕道です。大きな拍手をありがとうございます。

——（少しの沈黙。この間に参加者たちを、首を左右にゆっくり動かし見る）——

みなさん、いい顔されていますよね。そうではない方も8人ぐらいはいますが（笑）」

などと話しながら、参加者たちをよく見るようにするのです。

少しぐらいの沈黙があったっておかしくありません。参加者たちは「あ〜、一人ひ

とりの顔を見てくれているんだ」と思ってくれます。沈黙があっても、会場を見るようにすれば緊張は和らぎます。

なかには、大人数だと怖いからと言って、あまり参加者を見ない人がいます。本にもそのようなことが書いてあったりするから困りものですが、**見なければ見ないほど緊張しますよ**。私も以前、会場や参加者をあまり見ないで話し始めたら、やはり緊張がとれないまま、スタートしてしまいました。

参加者を見ないのは、絶対にやめたほうがいいです。見るからこそ、緊張は和らぐんです。間違えても、沈黙で（レジュメを見るために）下を見ちゃうと、かえって人の視線を強く感じちゃって、より緊張してしまうようになりますから。

あなたが緊張していないときをよく考えてみてください。

聞いている人たちをしっかり見ているときではありませんか？

あまり聞いている人たちを見ないようにすると、誰かに見られているような気がしませんか？

参加者を見ないと、見えない視線が気になるようになります。こういうときに緊張するものですよ。

電車のなかでも、たった一人でも何か見られている気がするとちょっと緊張するものではないですか？　見えない視線ほど、怖いものはありません。だから、参加者をしっかり見るようにしてください。

男性ならかわいい女性を探したっていいですし、女性なら好みのタイプを探してもいいでしょう。最初から笑顔で味方になってくれている人を探したっていいです。

大切なのは、見られているのではなく、『見ている側』に立つことですからね。すると、緊張が和らいでくるのです。

これでピタッと止まる！

下を向いたり、相手を見ないで話すのは絶対にNG。相手に着目すれば、どんな人でも、手や足の震えがパタッと止まる。

ここ折る

100人以上の前でも気後れしない人の共通点

人前だとすぐに緊張してしまう人、あがり症だという人には、決定的な特徴が1つあります。あなたにとっては少し耳の痛い話かもしれません。なかには、これから書いてあることを読んで気分を害されるかもしれません。

すぐに緊張してしまう人の決定的特徴は――

自分のことしか考えていないということです。

申し訳ありませんが、あなたがあがり症というなら、あなたは自分のことしか考えていません。

たとえば、人前でスピーチすることになったとします。

あなたが考えていることは何でしょうか――。

ここ折る

人前で緊張してしまう人の頭の中は……

たとえば、人前でスピーチすることになった場合

- 緊張しないか不安だ
- うまく話せるかな
- 手足が震えたら嫌だな
- 顔が赤くなったら、どうしよう
- バカにされたくない
- 内容に自信がないけど、大丈夫かな
- 変な質問をしないでほしい
- 頭がいい人に見られたい
- すごいと思われたい

これって、全部自分のことばかりではないですか！

あなたのスピーチを聞いてくれている人のことなんか考えないで、自分のことばかり考えている。

実は私もそうだったから、よくわかるのです。

でも、こんなことよりも、聞いてくれる相手のことを考えてあげてください。

「聞いている人にとってわかりやすいだろうか？」
「今の話は、ちゃんと伝わっているだろうか？」
「相手に興味を持ってもらうように話すにはどうしたらいいか？」
「忙しいなか、自分の話を聞いてくれるなんて本当にありがたい」
「最近、売上が悪く、元気がない人が多いので、少しでも元気づけてあげよう！」

このように話せば、自然と相手（聞いてくれている人たち）を見るようになります。

自分のことばかり考えている「自分視点」だから緊張するんです！

ここ折る

あなたの会話はどっち?

自分のことばかり考える自分視点

頭がいい人に見られたい

↓

バカにされたくない
手足が震え出したらどうしよう
顔が赤くなったら恥ずかしい
変な質問をされないか心配

↓

自分のことばかり考えているから
緊張する

相手に気持ちを向ける相手視点

自分の話を聞いて
くれるなんてありがたい

↓

どうしたら興味を持って
聞いてもらえるだろう?

↓

相手をよく見て、
知ろうとするから
緊張しない

相手に気持ちを向ける「相手視点」に立てば、相手を当然見るようになるし、緊張なんかしませんよ。

よく緊張するという方は、もっと相手やまわりに気持ちを向けてください。もっとちゃんと、見てあげてください。

それが、『見ている側』に立つということなんです！

相手に気持ちを向ければ、緊張せずに話せる！

朝礼で自分の話す番がまわってくると、緊張するという人は多いです。なかには何日も前から眠れなくなったり、お腹を壊したりする人もいるでしょう。

私も昔はそうだったので、緊張する気持ちはよくわかります。

でも、別に朝礼ですごいことを言う必要なんてない。自分がデキるように見られなくたっていい。上司に気に入られるようアピールする必要なんてない。そんなことが大事なのではありません！

今、目の前で聞いてくれる人への少しでも役立つ情報であったり、少しでもモチベーションがあがったり、少しでもハッピーになるような話でいいのです。もしくは、いつもあなたが助けてもらっていることへの感謝の言葉だっていい。

つまり、あなたがデキるように見られるかどうかはどうでもよく、**相手にとってどれだけプラスになるか、どれだけこれからハッピーな気分で仕事ができるようになるかと、相手に気持ちを向けて話すことが大切**なんです。

「相手視点」に立つと、当然相手を『見ている側』になります。

すると緊張なんかしなくなるし、していたとしても和らいでくるのがよくわかりますよ。

そうは言ったって、やっぱりまわりからデキるように見られたい！　という気持ちもあるでしょう。

だけど、これは自信を持って断言できますが、**相手に気持ちを向けて話すようにすれば、デキるように見せなくたって、自然とデキる人に見られるようになるものです**。それに、信頼だってされるようになります。

考えてみてください――。

あなたが会社や今までの人生のなかで尊敬する人はどんな人でしたか？

あなたに気持ちを向けてくれた人ではないでしょうか？

あなたに目をかけてくれた人ではないでしょうか？

あがり症の9割は目の前の参加者が見えていない

目の前の相手に気持ちを集中させれば、緊張なんかしません。

くどいようですが、自分のことばかり考えているから緊張するのです。

恋人とのデートで高級レストランに行ったとき、ナイフとフォークがうまく使えなくて緊張する。そんなときは、もっと相手を見てあげてください。相手に気持ちを向けてあげてください。

「相手も緊張していないかな？　緊張していたら、少しでも和らげてあげるようおもしろい話をしてあげよう。よく考えてみれば、こんな緊張する自分なんかと付き合ってくれてうれしいな」

ここ折る

このように、もっとあなたの目の前の人に気持ちを向けてほしいのです。

あるコンサルティング会社を経営する人で、自らセミナー講師もされる方が、次のように言っていました。

「自分のことしか考えていないときは、参加者がよく見えなかった。しかし、自分のことなど忘れて、参加者のことを考え出すと、相手の顔が一人ひとりはっきり見えるようになりました」

まったくもって、その通りなのです！

これは自動車のワイパーと同じです。**緊張しているとワイパーが動いている部分しか見えません。**しかも、そのワイパー部分以外は曇っていて見えない。しかし、緊張していないと、意識しなくても、フロントガラス全体が自然に目に入ってくるものです。

私のセミナーでは参加者に人前でプレゼンしてもらう機会があります。

時間を区切らないと永遠に話す人がいるので、時間を決め、あと1分とか、あと2

分とかプラカードを後ろで目立つようにかかげます。

おもしろいことに、あがっている人には、その大きなプラカードさえ見えていない場合があるのです。

緊張がとれると、当然ですがよく見えるようになります。

気持ちを広げてほしいし、目の前の人をよく見てほしいのです。

そんなカンタンにと思うかもしれませんが、カンタンです。

次章では、私も実際に行なった『見ている側』に立つため、相手に気持ちを向けるためのトレーニング法をお伝えしますのでご安心ください。


これでピタッと止まる！

自分のことばかり考えているから、緊張してうまく話せない。相手に気持ちを向ければ、緊張せずに堂々と話せるようになる。

第2章

あがり症を「克服する」効果絶大のトレーニング

トレーニング①

ほめたら喜ぶところをキャッチしよう

相手をよく見るようにすればいい――。

それは、よくわかった。しかし、どうしても人前に立ったとき、会議の席で発言するとき、好きな人や尊敬している人の前に立ったとき、「見られている」という意識が働いてしまうと言うかもしれません。

その通りだと思います。慣れないうちは私もそうでした。

以前、ある会報誌の取材を受けました。

取材場所は、自宅マンションのロビー。『見ている側』に立てば緊張しないということはわかっていたし、自分のテリトリーに来てもらうわけだから、当然、緊張なんてするはずがないと思っていました。

しかし、それが見事に打ち砕かれました。取材当日、ロビーに行ったら、そこには女性がたくさんいてつい緊張してしまったのです。

それまでは男性の担当者と連絡を取り合っていて、他に来ても1人か2人ぐらいだろうと思っていたら、担当者以外に女性が5〜6人いたんです!! きれいな方もいるし……。

名刺交換の際、ずらっと女性に囲まれ、一気に『見られている側』になってしまったのです。名刺交換では手が震えてしまうし、またそれが気になったりと、その後の取材も満足のいく結果が得られませんでした。もうその夜は、反省と自己嫌悪で眠れなかったほど。

相手を見れば緊張しないということを頭ではいくら理解していても、まだ自分のものになっていなかったのです。

自分のものになるよう徹底的にトレーニングする必要があったのです。

いくら自動車の運転方法を理解したとしても、実際に乗って運転の練習をしなければ、公道で上手に運転ができるようになるはずがありません。

こんなことはとても当たり前のことですが、**本を読んで頭で理解したからといって、まだ自分の身になってもいないのに、ちょっとやってみて、「うまくできない！」と言っている人があまりにも多いのです。**

それではできなくて当然です！　自動車の運転と同じなのです。

だから、『見ている側』のクセをつけるためにも、これからご紹介するトレーニングをしていただきたいのです。

自分が『見ている側』に立つためには、観察するクセをつけなければなりません。漢字で表せば、**「見る」ではなくて、「観る」ようにならなくてはなりません。**

よく男性で、女性の髪形の変化に気づけないと言う人がいます。私はビックリするのですが、それは「見て」いるようで、まったく「観て」いないのです。

観察するトレーニングを行なえば、最初は意識的にしていても、だんだん意識しなくても、自然に「観られる」クセがつくようになります。

車を運転するとき、最初は慎重に一つひとつを意識して運転しますよね。でも、だんだん慣れてくると、意識しなくても自然な感じで運転できるようになる。つまり、意識的なことが無意識化していくわけです。この感じをつけていただきたいのです。

相手との距離もグッと縮まる！

私はこれがとても大切なことだと思っていて、あらゆる本やセミナーで昔からお伝えしているのですが――**相手と会ったときに、相手の長所や良いところ、ほめたら喜ぶところなどを見るクセをつける**ようにしていただきたいのです。

これをやっていただけたら、見るクセがつくのはもちろん、あなたの人間関係がとても良好になりますよ！

よく人間関係は鏡写しだと言われます。あなたが相手のことを好きになれば、相手も好きになるし、あなたが相手のことを嫌な奴だなーと思えば、相手もあなたのことを嫌な奴だなーと思うのです。

だから、あなたが相手の良いところを見つければ、相手に対して好感を持つようになります。すると、それが相手にも伝わり、相手もあなたのことが好きになるのです。

この伝わるっていうのが目で見えないから、よくわからないっていう人がいるかもしれませんが、潜在意識的に伝わるものなのです。

たとえば、身なりもしっかりしていて、笑顔もよく、話していることだってまともな営業マンがいたとします。でも、「なんとなくこの人、信頼できないなぁ」と感じるときってあるではないですか。

言葉では説明できないんだけど、なんか信頼できない。

これは意識では見えない〝何か〟を潜在意識では感じているためです。かんたんに説明すると、潜在意識的に伝わると言っているのはこういうことなのです。

「たくさんの相手」に心を配る

誰にだって良いところがあります。どんなに風貌が悪そうな人にでもです。

人のいいところを「外見的」「内面的」なところから探してください。

たとえば、外見から見て自分が良いなと思うところを探します。

「やさしそうな笑顔だな……」

「目力があるな。目力がある人って、仕事がデキるんだよな……」

「恐い顔しているのに、ピンクのネクタイつけてるぞ。意外とかわいいな……」

「指先が細くて、とてもきれいな人だわ。それにネイルがかわいい♪」

「うわ～、いかにもエリートって感じで、かっこいいな……」

「オシャレだな。あ、ネクタイの色とシャツのストライプの色、チーフの色がきれいにまとまっているぞ！」


内面的なところを想像してみてもいいです。

「きっとやさしい人なんだろうなー」

「怖い顔しているけど、ウチの部長みたく、奥さんには弱かったりして（笑）」

「気難しそうだけど、でも、こういう人って実は心があたたかかったりするんだよな。部下が困っているときには、すごく力になってくれたりして……」

「ウチの会社の岡部さんになんとなく似てるな。岡部さんって、すごくいい人なんだよな。この人もそうなんじゃないかな……」

このように何でもいいんです。あなたの想像でいいんです。**あなたが思う、その人の良いところが本当に当たっているかいないかではないのです。**

ここ折る

あなたが相手に興味を持って見ることが何より大切なことなのですから。

人と会ったときに、相手の良いところを見つけようと心がけるようになると、当然相手を見るようになります。不思議と本当に相手の長所がわかるようになるし、相手に興味を持つようになります。すると、苦手な人というものがなくなってきますよ。


人間関係は鏡写しです。あなたが苦手だと思うから、相手も苦手だと思うのです。


たとえあなたの苦手なタイプが来たとしても、良いところを見つけようと意識していると、良いところが見えてきて、苦手ではなくなってしまうのです。

今の社会の特徴だと思うのですが、人の悪いところばかり見るクセがついている気がします。何か人の欠点やダメなところを見つけたり指摘できるのが、まるで頭がいいといわんばかりのような……。

そんななか、あなたは相手の良いところを見てあげる。きっと人はそんな人に好感を持つし、強い信頼を抱くのではないでしょうか。

これは初対面の人だけでなく、よく会う人でも、会ったときには良いところを探すクセをつけてください。そうすると、相手のちょっとした変化でもすぐに気づくよう

ここ折る

相手の“ちょっとした変化”を探そう

良い変化 → ほめてあげよう

「髪形が変わった」→「あ、髪形、変わったね。より、かわいくなったね！」

「メイクが変わった」→「なんか、どんどん輝いてきてるね！」

「顔色が明るい」→「何かいいことあった？　見るからにハッピーそうだよ！」

「高級時計をつけるようになった」→「おっ！　いい時計だね！」

「一人前の顔になってきた」→「仕事がデキる顔になってきたな」

悪い変化 → 気にかけてあげよう

「顔色が沈んでいる」

→ 飲みに行き、話を聞いてあげる。

→ （上司の立場なら）「何か仕事で困っていることはないか？」など聞いてみる。

→ 明るく、楽しく接する（あなたの接し方で元気を出させてあげる）。

になります。

良い変化はほめてあげればいい。そして、悪い変化は気にかけてあげればいいのです。もっとあなたのまわりの人に気持ちを向ければ、いろいろな変化に気づけるようになりますよ。

慣れないうちは、あまり深く考えずに、「良いとこ探しゲ〜ム!!」とか、「相手のほめポイントを探そう!!」などと、ゲーム感覚で探していくといいでしょう。

このクセがつくと、誰と会っても自分が見られているというより、相手を見るようになるのです。

これでピタッと止まる!

相手の長所を探すこと＝相手に興味を持って見ること。自分から相手に興味を持てば、自然と打ち解けることができる。

トレーニング②

部屋の様子、人数をよく見よう

たとえば、会議室に入った。本当は一番先に行って座っていればいいのでしょうが、そうもいかないときがあると思います。

後から入ったら、まずそこはどんな部屋でどれぐらいの大きさなのか、今、何人（多い場合は何人ぐらい）入っているのか数えるようにしてください。人数が多い場合はだいたいの数でいいです。

なぜ、これをするかというと、私たちはどこかに入ったときに、その場所に圧倒されてしまうときがあります。つい、その場の雰囲気に呑まれてしまうわけです。

たとえば、あなたが就職試験会場に行った。その待合室には、いかにもデキそうな人ばかりいたら、圧倒されてしまいませんか？　それを回避するために、四方に気持ちを向けてもらいたいのです。

緊張すると、自分の目の前しか見えなくなってしまいます。自分がどう思われているかばかり、気になってしまうようになります。心がちっぽけなものになってしまうのです。視界を広げる意味でも、心を広げる意味でも部屋全体を見るようにしてください。

一度、どんな部屋なのか？　人数は何人いるのか？　数えたら、それは忘れてしまって構いません。

それはどんな部屋なのか、何人いるのかが大切ではないからです。部屋全体に気持ちを向けることが大切だからです。

たとえば、電車に乗ったときも数える。車両に入ったときに、どれぐらいの人数がいるのか？　どんな車内なのか？　これはレストランやファストフードに入ったときも同じです。

確実に言えることは、**緊張しているときはあなたの心は小さくなってしまっています**。そして、それは場所や雰囲気に呑まれてしまっている場合がほとんどです。

だから、心が小さくなる前に、部屋の様子や人数を見ることにより、広げていただきたいのです。

あなたの「心」はどこにあるのか？

ところで、あなたは心がどこにあるのか知っていますか？

「そんなこと知ってるよ！　胸のあたりでしょう？」とあなたは思うかもしれません。

実は違うのです。

心が胸にあると思うから、すぐに緊張してしまうのです。

当然、頭なんかにはないですよ。

以前、自信満々と「心は脳にあるに決まっているじゃないですか！」と言う人がいて驚いてしまいました。これは「人間は機械だ！」と言っているのと同じことですよ。

明らかに違いますよね？


では、心はどこにあるのか？

心は私たちを包み込んでいるのです。

どういうことかというと、私たちは身体のなかに心があると思っていますが、実は心は私たちの身体よりもずっと大きいものなのです。つまり、**身体のなかに心があるのではなくて、心のなかに私たちの身体があるのです。**

私もこのことを初めて学んだときには驚きました。というか、「だから心を大きく持ちましょうよ！」と言うためのたとえ話かと思っていました。

でも、違いました。本当に心が私たちの身体を包み込んでいたんです。

心の勉強をよくしている方は何を今さらと思ったかもしれません。初めて聞いた方にはよくわからない話かもしれません。仮に今はたとえ話だと思っていただいて結構ですので、一度イメージしてみてください。

心のなかにあなたの身体が入っていると――。

うまくイメージできない人は、自分が部屋のなかにいるイメージをしてみてください。部屋のなかにあなたが入っていますよね？　今度はその部屋全体が、心なんだとイメージしてください。

こうイメージして人と会ったときに、相手があなたの心のなかに包まれている（あなたの部屋のなかでつながっている）とイメージすれば緊張なんてしなくなります。

ここ折る

心を広げるトレーニング

心が自分を包み込んでいると
イメージをする
（たとえば、自分が部屋のなかにいるようなイメージ）

↓

相手をあなたの心のなか
に包み込むイメージをする

**人前で話すときは、その場所全体を
自分の心のなかに包み込んでしまえばいい。**

↓

どんな部屋なのか？　人数は何人か？
意識を部屋の隅々に届かせる。

↓

意識が広がることで、相手を見ることができる！

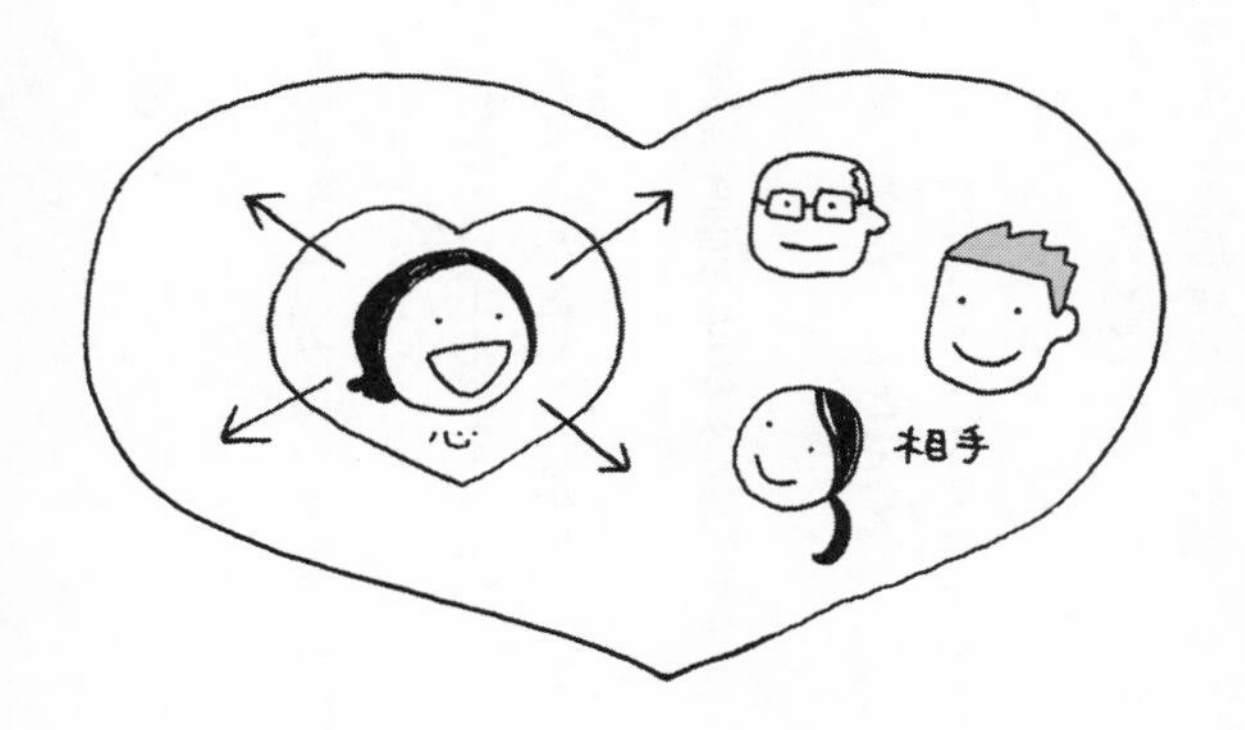

心は思い通りに伸ばすことができる！

人前で話すときは、その話す部屋全体をあなたの心のなかに包み込んでしまえばいいのです。心はグ～ンとその大きさを広げることができます。

人がウルトラマンに変身すると、片方の腕が上がったガッツポーズをしながらグ～ンと伸びていく（大きくなっていく）かと思います。たとえが古くてわからないという人もいるかもしれませんが（笑）、そんな感じです。

しかし、**心を広げるためには、そこまであなたの意識を届かせる必要があります。**

意識を届かせるためには、部屋の隅々までしっかり〝見る〟ことです。

まずは部屋の四つ角、天井、そして壁全体、机……と、ジグソーパズルをつくるときのように、端からその内側、その内側と見るようにするのです。

自分のなかに心があると思うと、意識は自分のなかにしか入っていきません。だから、自分のことしか見えないのです。しかし、心をグ～ンと広げると、意識がそのぶん広がります。だから、その部屋全体にいる人を見ることができるのです。見えるとか、感じると言ってもいいかもしれません。どんな大きな会場だって同じことです。

先ほど、入ったらどんな部屋なのか？　その人数を数えてほしいと伝えました。それは、あなたの意識を部屋全体に届かせることで、心を広げるトレーニングでもあるのです。

最初はやろうと思ってもなかなかできないかもしれません。これは意識しないとできません。だから、練習するのです。電車のなか、会議のなか、レストランのなか、あなたが人前で話すときではない場合でも、広げてみるようにしてください。何度も言っていますが、何度も練習するから、広げられるようになるのです。

1〜2回やったぐらいでできるようになんかはなりません。何回もトレーニングするから自分のものになるのです。

これでピタッと止まる！

視界を広げるだけで心は大きくなる。
心が広がると「場の空気」に呑まれなくなる。

トレーニング③

相手の目を見て話そう

話をするときは、相手の目を見て話す。これは当たり前のことですが、とても大切なことです。

しかし、どうしても目を合わせると緊張してしまい、怖いという人もいるでしょう。

もしあなたが営業や接客をしているのでしたら、**お客さんの目を見て話せないとなると、これはもう致命的です。**お客さんからは自信がないように見えてしまい、到底信頼なんてしてもらえません。

たとえば、あなたがだって洋服を買いに行ったとき、店員が、

「この服はお客さまにお似合いですよ！」

と言いながら、目線をそらしたり、目が合っていなければ、その言葉を信じること

はまずないでしょう。
でも、目をはっきり見てすすめられると、人は信じてしまうものです。
それは、そこに揺らぐことのない自信を感じるからです。

相手の目を見て、はっきり話す。これは、**あなたの言葉に説得力をつける意味でも非常に重要なこと**です。

人前で話すときだって、好きな人に告白するときだって、部下に指示を出すときだって、上司に企画を提案するときだって、会議で発言するときだって、友人を励ましたり元気を出させる一言を言うときだって、これはすべて同じです。相手の目をしっかり見て言ってほしいのです。

よく本などには、「まゆげのあたりを見て話す」とか、「鼻の上のあたりを見るようにする」とか書いてあったりしますが、それでは相手から見たら、どうしても焦点がぼやけてしまい、相手には伝わりません。

「2〜3秒目を合わせて、その後、目線をそらす」と書いてある本もありますが、その2～3秒がいかにも自信がないような感じでは、むしろ逆効果になってしまいます。

それに緊張をとるためには、しっかり『見ている側』に立たなければならなかったんですよね。

秘訣は「まばたき」にあった！

では、どうすれば、相手の目をはっきり見ながら話すことができるのでしょうか？

相手と目を合わせることを意識するのではなくて、相手の目を観察しようと意識するのです。

相手の『心の目』を見ようとするから、

「自分はどう思われているだろうか？」

などと考えてしまい、どうしても緊張してしまうのです。

身体の一部の、口とか鼻とかと同じように『単なるパーツとしての目』を観察すれば、はっきり見ることができます。
そのために、もっともカンタンにできることは**「まばたき」を観察する**ことです。

人はおもしろいことに、まばたきが左右によって違っています。どちらか一方は少しだけ鈍くなるというか、引っかかる感じというか、左右で違っているのです。その鈍いほうが、相手の「苦手な側」だったりするのですが、それを観察するのです。

つまり、身体のパーツとしての「まばたき」を観察するのです。すると、驚くほどはっきりと目を見られるようになりますよ。

もしかしたら、
「話をしながら、まばたきを観察していたんじゃ、話に集中できないよ」
と思うかもしれません。でも、そんなことはありません。人は話しながらもいろんなことを頭で考えているもの。あなただって、友人と話しながらも、頭のどこかではエッチなことを考えていることだってあるのではないでしょうか（笑）。

ここ折る

ただ、「まばたき」を観察するのはいいですが、ずっと観察したままの状態で話すのはやめましょうね。相手もずっと目を見られていると思うと、怖いですからね（笑）。

ですので、ときおりは目線をずらすようにしてください。適度に（たとえば2〜3秒見たら）ずらすという感じがいいでしょうね。

これでピタッと止まる！

オドオドして目が泳いでいる人の話は誰も信じない。「目の位置」を変えるだけで、あなたの言葉に説得力が増す。

トレーニング④
相手の「目の動き」に注目しよう

『単なるパーツとしての目』を観察できるようになれば、次は「まばたき」ではなく、「目線の動き」を観察するようにしてください。「目線の動き」を観察するようになると、相手の考えていることがわかるようになります。

ただ、その前に、あなたに考えてもらいたいことがあります。

最近あった、「頭に来たこと」を考えてみてください。

もーその出来事やその人のことを考えただけでも、ムカムカしたり、イライラするようなことを、できるだけリアルに考えてみてください。

「何かデキない自分自身のこと」「自分のことしか考えていない人のこと」「ものすごく不条理な仕事のこと」「言っていることとやっていることがいつも違う人のこと」「文

句や口うるさいことばかり言う人のこと」「決められた約束を平気で守らない人のこと」など、きっと「頭に来たこと」はあるでしょう。

これには意味があるので、ちゃんと考えてくださいね。

今、「頭に来たこと」を考えていると思いますが、このときのあなたの目線の方向を確認してみてください。

目はどの方向を向いているでしょうか?

それを紙に書いてください。仮に左下だったら、「左下」と。

さて、今度は、気持ちを入れ替えて逆のこと、最近あった「楽しかったこと」や「何かうれしかったこと」を考えてみてください。

「人にほめられたこと」「好きな人と話せたこと」「うまくいった仕事のこと」「恋人との楽しかったデートのこと」「思わず笑ってしまう子どもの変な動き」「久々に会った友人と飲んだこと」などを、できるだけリアルに思い出してみてください。

ここ折る

今、「楽しかったこと」を考えていると思いますが、先ほどと同じようにこのときの目線の方向を確認してください。

目はどの方向を向いているでしょうか？

この目線の向きを、先ほど書いた紙に書いてみてくださいね。

どうでしょうか？

「目線の動き」の違いに気づかれたのではないでしょうか。実は、**「ポジティブなこと」と「ネガティブなこと」を考えるときでは、目線の動きは違うのです。**

たとえば、ポジティブなことを考えるときは「右上」だったものが、ネガティブなことを考えるときは「左下」といったように。当然、それがどの向きかは人によってさまざまです。

しかし、**「ポジティブな出来事」と「ネガティブな出来事」は、人によって一定の位置にあります。**

たとえば、「楽しかった出来事」を考えていた目線の向きのまま、さっき考えてみた「頭に来た出来事」を思い出してください。

頭に来ることを思い出すことはできても、不思議なことにムカムカやイライラといった感情は出てこないのではないでしょうか?

事実としては思い出せても、目線の場所が違うので、リアルな感情は伴わない。

何が言いたいかといえば、人によって記憶の場所は違うのです。だから、「楽しい出来事」を考えるときと、「頭に来た出来事」を考えるときでは目線の位置が変わってくるのです。

相手の考えていることが読めるようになる!

これからは相手と話す際、「目線の動き」に注目してみてください。

相手の「目線の動き」を見ながら、話の内容を関連付けるのです。

「上司や会社の悪口などネガティブな話をするときには、目線が右下に行くなぁ」

「大好きな映画の話などポジティブな話をするときは、目線が左上に行っているなぁ」

すると、相手が黙っていても、今、楽しいことを考えているのか、それともネガティブなことを考えているのかがわかるようになります。

―ここ折る―

目線の動きで相手の気持ちがわかる

また、慣れてくれば、「目線の動き」によって、ある傾向が見えてくるでしょう。

たとえば、

「恋人のことを話しているときは、目線がいつも右横あたりに行くなぁ」

「自分を誇張して話すときは、目線が上に行くなぁ」

「何か言い訳をするときは、目線が下に行っているなぁ」

など、**「目の動き」で相手の特徴、考えていることがわかるようになります。**

人は「目の動き」を自分では自覚していませんが、観察してみると、こうもわかりやすいものかとおもしろいですよ。

だから、ぜひやってみてください。

もしかしたら、人の「目線の動き」なんか、そんなよく見えるわけないと思うかもしれません。

実は、私も最初はそう思っていました。しかし、「目線の動き」に注意して見るようになると、自分でも驚くぐらい「目線の動き」がはっきり見えるようになったもの。

あなたもやってみれば、わかるでしょう。


これでピタッと止まる！

「ネガティブ」なことばかり考えているときには、目線の向きを「ポジティブ」な方向へ持っていく。すると、イライラがとれてくる。

ここ折る

トレーニング⑤
相手の欲求、クセ、本音を観察しよう

さて今度は、「目線の動き」だけでなく、人間性なども観察してみましょう。

特に、飲み会などは観察場所として適していますよ。

会社の飲み会、お花見、忘新年会、上司からの飲みの誘い、オンライン飲み会……などなど、正直、あまりこういう会に参加するのが好きじゃないって方もいるかと思います。私も会社員だったとき、あまり好きではありませんでした。

しかし、途中から嫌ではなくなったのです。

それは、**人間性を観察する最高のトレーニング場所**と気づいたからなんです。

お酒の席で、人を観察するのはなかなかおもしろいものです。


「お酒が入ると性格が変わる人」

「ここぞとばかりに上司におべっかばかり使う人」
「妙に人のグラスの減りを気にかける人」
「好きな同僚をチラチラ気にかけている人」
「人の話をつまらなそうに聞いている人」
「会社のグチばかり言う人」
「急にケンカ腰になる人」
「本音を話しているように見せて、上司の顔色をチラチラ気にかけている人」
「酔ってくると、何度も何度も同じ話をする人」
「自分の仕事の自慢ばかり言う人」
「自分は会社のことを誰よりも思っているふうをアピールする人」
「ちょっとした乾杯の音頭や締めのあいさつでいいのに妙に緊張する人」
いろいろ見ていると、職場の仲間のいつもとは違ったと

ころが発見できたりします。

次のようなことに気をかけて見てもいいでしょう。

「話している人たちのドリンクを飲むタイミングが同調しているかどうか？」

「上司や先輩のことを尊敬していると言いながらも、上司や先輩の上着とかバッグを雑に扱っていないか？」

「酔ってくると、質問の体裁をとりながらも、相手に対する本音が出ていないだろうか？」

「人の話を聞いているようで、次に自分が話すことばかり考えてはいないだろうか？」

「それはどういうときにわかるだろうか？」

「飲むと性格が変わる人がいるが、それはなぜなのだろうか？」

グチを聞いて「相手の胸の内」をくみ取る

また、人のグチを聞くことはとても嫌なことです。しかし、グチをこぼしている人は、**そのグチのなかに、「その人が求めている願望」や「わかってほしい想い」が詰まっていたりします。**

その気持ちをわかってあげたり、その内容をプラスの方向に変えてほめてあげると、その人は喜ぶでしょう。

たとえば、「ウチの上はバカばかりだ！」と言っていたとします（あ、ちなみに、コレ、どこの会社に行ってもみんな言っているのですが（笑））。

その言葉の裏には、

「なぜ、オレの意見（企画）を通さないんだ！」

「なぜ、オレをもっと重宝しないんだ（出世させないんだ）！」

「なんで、私のことをもっとわかってくれないの！」

という想いがあったりします。だから、

「亀田さんは本当にこの会社のことを考えてますよね。早く亀田さんがマネージャーになればいいのに！」

とほめたりね。

これは、人をほめているときも同様です。その人が、どういうところをほめているかを見れば、その人の価値観がわかります。オシャレに気をかけている人はオシャレさをほめるし、頭がいいと思っている人は、たとえば、

「お前は頭の回転が速い」

とほめたりします。そういう人には、

「ホント、井手さんは、頭の回転が速いですよね！」とか、

「井手さんは何でも知ってますよね！　なんでそんなに頭がいいんですか？」

などとほめると喜びます。

結局、人はその人の価値観でほめるのです。それを覚えておいて、今度ほめる際に使えばいいのです。

これでピタッと止まる！

盛り上がる話題が思い浮かばなくても、相手が話したいこと、わかってほしいところを押さえれば大丈夫。

トレーニング⑥

顔色の変化・顔の動きを見よう

さて、今度は、**相手をわざと喜ばすような話、少しイライラさせるような話をしながら、ちょっとした変化を見る**といいでしょう。

顔色の変化、眉や鼻、口、耳、手の動きの様子、上半身の揺れ具合などを観察してみてください。

「相手が喜ぶようなことを話してみる」
「相手が照れて恥ずかしくなるようなことを、ほめてみる」
「相手が楽しい気分になるような思い出話をさせてみる」
「逆に相手が恥ずかしくなるような失敗談やミスを話してみる」
「相手が少し頭に来たり、イライラするようなことを話させてみる」

もちろん、この話をいきなり順番に話したら、「オレのこと探っているのか？」と警戒されるし、嫌がられたり怒られたりするかもしれません。日によって変えたり、お酒を飲みながらとか、仕事の休憩中や一緒に移動するときとか、相手が気を許しているときなど状況に合わせて話してくださいね。

そして、それをした後、次のページのことを注意しながら見てみましょう。

注意して見ていると、こんなにも変化があるんだ！　ってビックリするはず。

「ウソをつくと、左手で鼻の頭をかいたり、耳たぶを一瞬触る」
「話を大げさに話すときは、鼻の穴が少し広がる」
「過去の成功体験をほめられると、ほほがややピンク色になる」
「緊張すると、右耳の先端が赤くなる」
「恋人のことを考えているときや話す際は、鼻のアタマが赤っぽくなる」

人間とは、わかりやすいものだというのがわかってきます。そして、それを覚えておくと、今、どういったことを考えているのかわかるようになります。

ここ折る

話しているときの表情や動作の変化に注目しよう

目線の変化
左右、上下など
目線がどこに向かっているか

顔色の変化
赤くなったり、ピンク色になったり、
グレイ色になったり

眉の動き
眉がピクっと
上がったり、下がったり

鼻の動き
鼻の穴の開き具合、呼吸の様子、
鼻のアタマの色の変化

耳の動き
色の変化、ピクっと動いたり、
硬くなったり

口の変化
上唇と下唇のちょっとした動き、
震え、乾き、舐め方

手の動き
鼻やあご、耳たぶ、
髪の毛を触ったり、
腕を組んだり、手の開き具合

話しているときの上半身の揺れ
横揺れ、縦揺れ、のけぞったり、
前に出たり

読んだことを口にしてはいけない！

注意していただきたいのが、これは観察のトレーニングです。

先ほどの「目線の動き」を見るトレーニングでもそうですが、相手の特徴をつかんでくると、それを平気で相手に言ったりする人がいます。たとえば、

「今、ウソをついたね！　ウソをつくとわかりやすい特徴をするからよくわかるよ」

「今、上司のこと考えてイライラしてたでしょ？」

とか、それがわかったとしても言わないでください。


あなたは自分の心が読まれていると思ったらうれしいですか？

うれしくないでしょう？

あなたの心のなかだけにしまっておけばいいのです。誰かに言っても、その相手から嫌がられるだけですよ。誰だって、自分の心を読まれるのはうれしくないですから。


何を考えているのかわかったなら、言うのではなく、相手を包み込んであげて

ください。

また、相手の話を聞きながら、「オレは、お前を読んでいるんだぞ！」っていう目つきをする人がいます。上目遣いで見たり、メガネを少しずらし、その上から見たり……。これだってうれしくありません。

たまに中途半端に仕事がデキる人で、人に質問して、心を読んでいるような目つきをする人がいます。確かにデキる人に見えるかもしれません。しかし、心は開いてもらえなくなるし、嫌がられるだけですよ。

見るとしたら、相手を包み込むような目で見てください。

では、包み込むような目ってどういうものかと言ったら、相手をわかってあげよう、理解してあげようと思って、相手を見る目です。**想いは目に表れるのです。**

あなたがしっかり観察のトレーニングを行なえば、『見ている側』に立て、そして相手のことがいろいろとわかってくるでしょう。

相手の弱さも見えてくるはずです。しかし、それをバカにしたり、卑下するのではなく、その弱さをわかってあげたり、理解してあげてほしいのです。

ここ折る

「あ、今、ウソついたな！」
「なんでそんなに、自分を大きく見せようとするんだろ！」
って思ってもバカにする必要はないし、その人の弱い部分をわかってあげてください。

相手の弱さをわかってあげられる人が、本当に強い人間ですよ。

これでピタッと止まる！

人の特徴やクセは、よく見ると、顔色や顔と体の動きに出てくる。喜怒哀楽を引き出し、そのクセをつかもう。

トレーニング⑦

「いつもの自分」から抜け出す体験をしよう

人に道を尋ねるのはいいトレーニングになります。

私もこれは数え切れないほど何回も行なってきました。わかっている道、わからない道、どちらでもいいです。とにかく聞いて、相手を見るクセをつけましょう。特に初対面の人が苦手、人に話しかけるのが苦手という人には、いいトレーニングになりますよ。

「すみません、六本木ヒルズに行くには、どうすればいいのでしょうか？」

「すみません、大桟橋に行きたいのですが、どう行けばいいかご存じですか？」

「すみません、ここからですと、新丸ビルに行くためにはどうすればよろしいでしょうか？」

まずはあなたが話しかけやすそうな人からでいいです。いかにも親切そうな人なら声をかけやすいのではないでしょうか？

どうしても恥ずかしいという人は、次のような「イエス、ノー」で答えられる聞き方から始めてもいいでしょう。

「すみません、ＪＲの四ツ谷駅はあちらの方向でよろしいでしょうか？」

「すみません、赤坂サカスに行くには、この道でよろしいでしょうか？」

「（駅のホームで）南砂町へ行くのは、こちら側でよろしいでしょうか？」

話しかけやすいタイプ、つい恥ずかしくなってしまう好みのタイプ、あなたの苦手なタイプ、あなたが少し恐怖心を抱くタイプ（見た目が怖そうな人とか）、異性の二人組とか三人組まで広げ、いろんな層に声をかけて聞くといいでしょう。

いかにも話しかけやすそうな人ならいいですが、年の近い異性は恥ずかしいでしょう。異性の３人組とかに声をかけるのも恥ずかしいです。しかし、ここはトレーニングです。がんばってください。

尋ねたら、必ず目を合わせて相手の話を聞いてくださいね。

そして、最後に笑顔で、

「ありがとうございました！　助かりました」

「おかげでよくわかりました！　ご丁寧にありがとうございます！」

などとお礼を言い、頭を下げましょう。

人は誰でも誰かの役に立ちたい、人から感謝されたいと思っているものです。あなたが笑顔で深々と頭を下げてお礼を言えば、相手も悪い気はしないでしょう。

念のため、尋ねるときのポイントをもう一度お伝えしておきます。
①親しみやすい人から始め、いつもは恥ずかしがる異性や苦手なタイプに広げていく。
②話を聞くときは、相手をよく見る。『見ている側』になることを意識する。
③お礼は相手と目を合わせ、笑顔で明るく言う。
声をかけた相手はあなたの練習台になってもらったのです。よく考えたら失礼な話です。だから、そのぶん、あなたの練習台になったことで、ハッピーな気分にさせた

らいい。そのためには、やはりあなたが笑顔で深々と頭を下げたり、感謝の言葉を言うことです。

いつもより明るい口調でお礼を言ったっていいし、ちゃんと目を見てお礼や感謝の言葉を伝えてくださいね。

恥ずかしいかもしれません。そりゃ、恥ずかしいです。

でも、もう明日以降は恐らく二度と会わない人です。だったら、別に恥をかいたっていいじゃないですか。いつもの自分とは違う明るい人間になったっていいじゃないですか。会社の人が知ったら驚くほど堂々と声をかけられる人間になったっていいじゃないですか。

これは誰でもすぐにできることです。ぜひ、やってみてください。

勇気を持って、手をあげてみよう！

ビジネス系であろうが、恋愛やスポーツ系であろうが、セミナーや講演会、説明会に参加すれば、必ず質問を受け付ける時間があります。

ここ折る

このときに必ず手をあげて質問するようにしましょう。

質問の内容は何でもいいです。

とにかく手をあげて、立ち上がり、何か話す。

あなたのことを知っている人がいるなかでは恥ずかしいと思いますが、外部のセミナーなら知らない人ばかりだと思います。

その際も『見られている側』になるのではなく、あなたが『見ている側』だという意識を絶対に忘れないようにしてください。

手をあげて指された瞬間につい、『見られている側』に切り替わりそうになりますから、ここは注意してくださいね。

この質問に、講師はどう答えるのだろう？　質問を受けてから、どのような動き（目線や表情、手、体の動きなど）をして答えるのだろう？　と見るようにしてください。

「何か質問はありますか？」

と聞かれたら、**できるだけ一番先に手をあげるようにしましょう**。セミナーによっては、質問の時間がどうしても限られています。講演会なら時間はほとんどありま

ここ折る

せん。しかし、一番先に手をあげた人は必ずと言っていいほど、指してくれるものです。

それに、一番はじめの質問が一番緊張するもの。トレーニングには持ってこいです。

ですから、質問タイムになったら、すぐに手をあげるようにしてくださいね。

映画館は自信を生み出す最高の場

映画館とセミナー会場は、あなたの恐怖心を克服するための最良の場所です。

映画館に行ったら、ぜひともやってほしいことがあります。

それは、映画館に行ったら上映前に、一番前の席の前に立って、観客席を見てほしいのです。すると、たくさんの人からの注目を浴びます。その視線に慣れていただきたいのです。

誰かを探す素振りをすればおかしくありません。

一人ひとりの顔をよく見て、『見ている側』の練習をしてください。

前に立つと、ブルっと来てしまうかもしれません。でも、一人ひとりに着目して見てください。『見ている側』になることを意識してください。これを何回か行なえば、大人数の前に立っても『見ている側』に慣れてきますよ。

なかには、あなたに対して変な目で見てくる人もいるでしょう。というか、実際にいます。だけど、**その人たちとはもう二度と会うことはないのです**。変な目で見られたっていいじゃないですか。

もちろん、恥ずかしいと思います。でも、これはあなたが大人数を前にしても緊張しなくなるためのトレーニングです。すぐに席に着きたくなる気持ちはわかりますが、なるべくがんばって、できるだけ長くやってください。

できたら、1回の映画で2回これが行なえるといいですね。最初に入ったときに1回、そして上映前のトイレに行った帰りにもう1回。上映のギリギリ前だと、正面を向いている人が多いので、いいトレーニングになりますよ。友人や恋人が協力してくれるようなら、先に席に着いてもらっておくとよいでしょうね。

このトレーニングは、映画館だけでなく、セミナーやコンサート会場などでもできます。

ここ折る

『見ている側』になるためのトレーニング

❶ 人に道を尋ねる

必ず目を合わせて相手の話を聞く。最後に目を見てお礼や感謝の言葉を伝える。

❷ セミナーや講演会で、手をあげて質問する

質問したら、講師の答え方、動きを見る。

❸ 映画館の最前列から観客席を見る

誰かを探す素振りをしながら一人ひとりの顔をよく見る。

この章では、主に『見ている側』になるためのトレーニング法をお伝えしてきました。どうしても緊張しやすい人は「見られている側」になってしまいます。でも、これらのトレーニングを行なえば、「見る」意識が自然につくようになります。

「見られている」と思う前に「見る」ようになるのです。

まずはできそうなものからでいいので、ぜひ行動に移してやってみてください。

次章では、絶対に知っておいたほうがいい〝あがりの本質〟と、パニックになってしまったときの〝瞬間対処法〟についてお伝えします。

これでピタッと止まる!

恥ずかしいかもしれないけど、あえていつもしないようなことをしよう。すると、度胸以上に、どんなときでも視点の切り替えができるようになる。

第3章

過去も未来も「今、この瞬間」に変える法

実際の緊張は、1／3以下に減らすことができる！

私の尊敬する石井裕之先生が以前、CD教材『沢雉会（たくちかい）』（フォレスト出版）に付属していたセミナーDVDのなかで、病気の例を出して、このようなことをおっしゃっていました。

今、自分がかかえこんでいる痛みだと思っている痛みは、本来は1／3でいい。それは「実際の痛み」に、「過去の痛みの記憶」と「未来の不安や恐怖」を自分の心のなかで混じり合わせ、3倍にしてしまっている。

これって、あなたの緊張もそうなのではないでしょうか？

過去に人前であがってしまった体験、そのときの恥ずかしかった思い。そして、またあがったらどうしよう？　震えたらどうしよう？　また恥をかいたら嫌だな、という未来の不安から、あなたの緊張は来ているのではないでしょうか。

本当は『今の実際の緊張』だけでいいのに、あなた自身が『過去の体験から来る緊張』と『勝手に想像してつくった未来の不安から来る緊張』とを合わせ、３倍に膨れ上がらせてしまっているのです。

実はこのように、多くの緊張は、

『過去の体験やトラウマから来る緊張』

＋

『今の実際の緊張』

＋

『勝手に想像してつくった未来の不安から来る緊張』

という３つから構成されています。

もちろん、１つだけとか２つの場合だってありますが、あがり症といわれる方、自

ここ折る

分のあがりはひどいと思っている方は、この3つの複合の場合がほとんどです。

ということは、**たとえ緊張したとしても、本来感じるべき緊張は1／3以下でいいのではないでしょうか——。**

注射からいつも逃げていた！

少し話は変わりますが、ここで私の話をさせてください。

実は、私は恥ずかしいのですが、以前は注射が大の苦手でした。苦手というか、注射にものすごく恐怖を感じていたぐらい。当時、幼い子どもたちにも、

「え～!! パパ、注射が怖いんだ～」

とバカにされていたほど（笑）。

なぜ、いい大人にもかかわらず、注射がそこまで怖かったのか？ というと、あれは、中学3年生か高校1年生のときのことだったと思います。

その当時ずっとお腹を壊していて、1年間に10日間以外は壊していたほどでした。

全寮制で規律がとても厳しい学校へ通っていたので、心理的なものだというのはわかっていたのですが、毎日だとさすがに朝のトイレがつらい。市販薬を飲んでも治らないし、だから、大きな病院へ行って診てもらいました。

診察に胃カメラや血液検査などを行なったのですが、実はこのときの採血に問題があったのです。

最初は左腕で採血をしたのですが、血がなかなかとれない。だから、右腕に変更。血管はぜんぜん出てこないし、出てきて採血を行なっても、やはりなかなかとれない。痛いし、腫れてきているし、「もう、早くしてくれー！」って心のなかで叫んでいたら、血がとれないためか、大きな注射器を取り出してきたのです。もう私は怖いし、不安だし、痛いし……。確か、このときの採血は20～30分ぐらいかかったと思います。あくまで私の体感時間ですが（笑）。

そこから、注射器のちょっとした動きにも敏感になってしまったり、**そのときの腫れや痛み、また血管が出なかったらどうしよう？　などという恐怖心を思い出し、怖くなってしまったのです。**

いくら考えても、それまでに注射が苦手だったという記憶はありません。

それから年々怖さが増していき、注射や採血から極力逃げていました。社会人になって、店舗での勤務についているときは、忙しいという理由で健康診断には行きませんでした。しかし、本部勤務になるとそうはいかない。健康診断はバスで会社までやってきますので逃げるわけにはいかなかったのです。

そのときの採血にビビっていた姿を今でもよく覚えています。同僚たちと並んでいるのに、自分の順番が近づくにつれ、恐怖心と不安と緊張が入り混じって、汗はドッと出てくるし、顔から血の気が引いていくし……。看護師の方が、

「大丈夫ですか？　具合でも悪いのですか？」

と心配するほど。なんとか採血が終わった後も体が倒れそうになって、看護師の方に支えてもらったことだってありました。

少し長くなりましたが、私がどれほど注射や採血が苦手だったのかわかっていただけたと思います。

自分で勝手に大きな問題にしている！

当たり前のことですが、健康管理はとても大切です。特に家族がいる以上、私に何かあるわけにはいきません。そのため、健康診断に行くことにしました。

健康診断の前日になると、なさけないことに採血の恐怖が蘇ってくる。

「やらなきゃいけないことといっぱいあるし、明日止めようかな……、健康診断なんて別に行かなくていいんじゃない……」

なんて頭によぎってくる。しかし、自分は研修などで、

「苦手なことから逃げるな！」

「恐怖心は単なる『過去の感情』から、自分が勝手につくっているだけ！」

などと偉そうに教えておきながら、「自分は逃げてんじゃ～ん！」って思ったのです。

そして、落ち着いて考えてみたのです——。

「ちょっと待てよ、本当に採血ってそこまで怖いものなのか？」

「ウチのちょっとしたことですぐ泣く、3歳の娘だって平気なのに、そこまで逃げ出したくなるほどのものだろうか？」

「本当にそんなに痛かったり、震えだすようなものなんだろうか？」

「この恐怖って、単なる『過去の体験』や『未来の不安』なだけで、自分が勝手につくり出している感情なんじゃないか？」

「っていうか、オレ、いつから怖くなったんだっけ？？」

「あれ？？　よく考えてみると、採血や注射を怖がっている大人なんて見たことないぞ……」

そしたら、

「何かそんなたいしたことじゃないぞ！」

「自分で勝手に恐怖心をつくっていただけじゃん!!」

っていう感じがしてきたのです。

そしてその翌日、採血に行ったら、並んでいるときは少しまだ恐怖心はありましたが――実際に採血をしてみたら、

「ぜんぜん平気じゃん！！！」

と拍子抜けしてしまったぐらい。怖くなかったし、ほんの少しの痛みだったんです。

子どもたちとヒーローごっこしているときに、叩かれたときのほうが格段に痛い（笑）。

なんで今まで、あそこまで怖がっていたのか、信じられなくなったぐらい……。

「そんな採血ぐらいで当たり前じゃん！」

って思うかもしれませんが、以前の私のなかでは大きな問題だったのです。正確に言うと、**自分で勝手に大きな問題にしていたり、トラウマというそれらしい言葉で逃げていただけ**なのですが。

あなたの緊張だって同じなのではないでしょうか？

「逃げ出したい！」と思う前に考えてほしいこと

よく考えてみてください――。

妙に犬が苦手な人っているではないですか？　いい大人で、体格だってしっかりしていて、そんなに弱い人ではないのに、変に犬を怖がったり、と。

もしあなたが犬を苦手でなければ、そんな人を見たら、「なに、犬ぐらいで怖がって！　こんなにかわいいのに！」と思うのではないですか？　しかし、その怖がっている人から見たら、それは大問題ですよね？　そう、あなたの人前でのスピーチのように……。

もちろん、犬が苦手な人には、そうなる原因があったのだと思います。たとえば、幼いころ、犬に噛まれたとか、野良犬に追いかけられたとか。

だから、その過去の体験から恐怖心が思い出され、そして、またなるかもしれないという不安から怖くなるのでしょう。しかし、**それは「今現在の問題」ではないのです**。単なる、その人が「過去の体験」と「未来の不安」から勝手につくり出している感情なのです。

幼いときに噛まれたからって、今もまた噛まれるとは限りません。その犬だって、幼いころに出会った犬とは違うわけだから、そこまで怖がる必要はないのです。

あなたの緊張だってそうなのです。

私の採血や、犬を怖がっている人のように、「今現在の問題」として、そこまで恐

ここ折る

怖いと思っているものは、1／3以下に減らすことができる

自分のなかの過去の体験から来る恐怖

現在

自分で勝手につくった未来の不安

怖を感じる問題ではないのです。

だって、現実問題として、**大勢の前でスピーチすることになったとしても、命を脅かされる危険があるわけでもない。**あなたの大切な家族や恋人と別れなければならないわけでもない。ましてや、お金だって奪われる恐れだってないのです。

そこまで怖がる必要が、本当にあるのでしょうか？

たとえば、社内の朝礼で5分間スピーチをしなければいけないとしましょう。

何も初めて会う人たちの前で話すわけではない。見慣れた人たちです。

そう人数が多い人たちの前で話すわけでもない。

みんなが感動するような、そんなすごい話だってする必要もない。

うまく話せなかったからといって、給料が下がるわけでもない。

なのに、ひどく緊張したり、それ自体がストレスになったりする。

それは、現実問題の緊張だけでいいものを、「自分のなかの過去の体験から来る恐怖」と「自分で勝手につくった未来の不安」で増大させているのです。

そう考えてみれば、あなたが今現在、怖いと思っているものは、最低でも1／3以下に減らすことができるのではないでしょうか?


これから緊張したときに、落ち着いて考えていただきたいのです。私が採血の前に考えたように——。


「ちょっと待てよ——。この緊張って、本当にそこまで怖いものなのだろうか?」

「もしかしたら、この恐怖は『過去の体験』と『未来の不安』から来る、自分が勝手につくり出しているだけの感情なんじゃないか?」

ここ折る

「これって、犬を怖がっている人と同じなんじゃないか?」
「実際の緊張は、最低でも1/3には減らすことができるのではないか?」

これでピタッと止まる!

マイナスの感情は「過去の記憶」と「勝手な想像」を土台にしている。「ないもの」に心が支配されていないか考えてみよう。

『過去の体験やトラウマから来る緊張』に打ち勝つ法

緊張は、『過去の体験やトラウマから来る緊張』＋『今の実際の緊張』＋『勝手に想像してつくった未来の不安から来る緊張』の主に3つから構成されているとお伝えしました。

第1章、第2章で行なってきた『見ている側』に立てるようになると、あがらなくなってきます。『見ている側』に立つとは、『今の実際の緊張』をとるための方法なのですが、『過去の体験やトラウマから来る緊張』と『勝手に想像してつくった未来の不安から来る緊張』を考えさせないぐらいの効果があるのです。

しかし、『過去の体験やトラウマから来る緊張』と『勝手に想像してつくった未来の不安から来る緊張』があまりにも強いと、どうしてもまた緊張してきてしまいます。

ここ折る

人よりあがりがひどいという人は、特に「過去の体験」に大きなキズを持っている場合がほとんどです。また、そのキズが「未来の不安や恐怖」をつくり出しています。

なので、「過去の体験」から来るキズを癒さなければなりません。

では、どう癒せばいいのか？

それは、あなたがその問題に向き合うことです。人に癒してもらうものではありません。あなたが自分自身に向き合うことによって癒すものなのです。

あなたが、あがりを怖がるきっかけとなった出来事を思い出してほしいのです。

どんなことでも、そのきっかけとなった出来事は強く印象に残っているものです。怖がるきっかけとなった出来事が思い出せなければ、あなたの心に強く残っているあがった出来事でもいいです。

あなたは、いつから「あがる」ようになったのか？

「あなたはいつごろから、あがるようになったのでしょうか？」
「それは、どんな状況で、どんなときだったのでしょうか？」
「そして、あなたはどんな気持ちになってなったのでしょうか？」
「何がどれだけ嫌だったり、つらかったり、恥ずかしかったり、怖かったのでしょうか？」

できるだけ具体的に言語化してみてください。箇条書きでいいです。

そこに書かれていることを何度も眺めてみてください。自分の緊張の原因だと思うことに向き合ってみてください。

そして、自分の気持ちが落ち着いたら、あなたが後輩や部下からそのことを相談されたと考えてみてください。後輩や部下になんてアドバイスするでしょう？

それを今書いたところの下に書いてみてください。

ここ折る

いつから「あがる」ようになったのか?

- 中学1年生ぐらいのとき。
- 数学の授業。
- 前に出て黒板の問題を解く。
- 指されたら嫌だったけど指された。
- 解けなかった。
- 「カンタンじゃん!」と失笑の声が聞こえてきた。
- 先生にカンタンだからと、前に立ったまま、解き方を教えてもらった。
- また間違えたら恥ずかしいと、すごく緊張してしまった。
- 先生が何を言っているのか、よくわからなくなってしまい、また間違えた。
- みんなにコソコソと笑われた。
- ものすごく恥ずかしく、席に戻ってからも顔を上げられなくなってしまった。
- あれから授業で指されるのが怖くなってしまった。

こんなこと考えたくないと思うかもしれないし、思い出すのがつらいかもしれません。

しかし、この恐怖心に打ち勝たないと、また何かあったときに、同じような恐怖心を感じてしまうのです。

あなたにはその恐怖心や不安な心から逃げないでいただきたいのです。 これは人生、すべてにおいてです。

逃げないでください。それと向き合ってください。それはつらいことかもしれません。なかなかとれないことかもしれません。でも、向き合ったとき、それをあなたのなかに取り込むことができるのです。

あなたの心は小さくないのです。 第2章でお伝えしましたが、あなたの心は本当は大きなものなのです。

生きていればいろんなことがあります。**すべての問題は、向き合ってその問題を取り込むか、それから逃げ出すかしかありません。ならば取り込んでほしいのです。**

それが人間的に成長するということではないでしょうか。

過去を変えることはできません。でも、よく言われていることではありますが、過去の見方を変えることはできます。

「過去の悪い体験」に「見られている側」(囚われている側)から、「過去の悪い体験」を「見ている側」(向き合っている側)に変わることはできます。

すると「過去の悪い体験」は続かないことにも気づくのではないでしょうか。

これでピタッと止まる!

「あがる」きっかけとなった出来事を紙に書き出してみよう。「過去の自分」と向き合うことで「今の自分」が変わる。

『未来の不安から来る緊張』に打ち勝つ法

「(入社試験や昇格試験などで) 落ちたらどうしよう？」

「(学校の試験などで) 山が外れたらどうしよう？」

「(入社面接、転職面接などで) 受からなかったらどうしよう？」

「(競合プレゼンなどで) 厳しいことを突っ込まれたらどうしよう？」

「(スポーツなどで) 自分が原因で負けたらどうしよう？」

「(営業などで) うまく説明できなかったらどうしよう？」


あなたもこういった未来の不安や恐怖からあがってしまったことがあるかと思います。なかには、緊張のしすぎで、良い結果が得られなかったということもあったかもしれません。

この未来の不安や恐怖には、どう対処すればいいのでしょうか？

当たり前のことかもしれませんが、これにつきます！

カンタンです。**準備を徹底的にすればいい。**

あがりで困っていると言いながらも、しっかり準備をしていない人が多すぎます!! 準備もしっかりしていないクセにうまくいくわけがありません！

人は慣れていないもの、自信がないものには、とても緊張するか、まったく緊張しないかのどちらかです。

まったく緊張しないのは、「どうでもいい」と思っていること。たとえば、「こんな試験受からなくていいや」と思えば別に緊張なんかしません。

しかし、あなたが

「少しでも良い結果を出したい！」

「少しでも良い評価を得たい！」

「不安や恐怖に打ち勝って自分の力を出したい！」

と思うのでしたら、準備は徹底的にしましょう。

「これだけ、準備したんだから、あとは大丈夫だろう」
「これだけ、練習したんだから、あとは当日がんばるのみ」
「自分のことながら、ここまでがんばるとは思わなかった」

と思うぐらいまで徹底してやってほしいのです。

学校の試験のとき、「もっと早くから勉強しておけば……」と思いませんでしたか？

しかも、学校のテストは少しでも早くから勉強していた人がやはりテストの点数は良かったと思います。

学校の試験と実際のビジネスの現場では違うと思うかもしれませんが、準備や練習によって結果（成績）が上がることは同じです。

元マリナーズのイチロー選手は、試合前にはありとあらゆる準備をしてから、試合に臨んでいたそうです。そうやって、自分のなかでの言い訳の材料となるものをなくしていくのだそう。あの天才のイチロー選手でさえ、しっかり時間をかけて準備していたのですよ。私たちのような凡人がやらなくてどうするのでしょうか！

あなたは忙しいかもしれない。でも、少しでも早めに準備をしましょう。特に苦手意識があるものほど、したほうがいいです。

苦手なことから、逃げたくなる気持ちもわかります。しかし、**逃げれば逃げるほど、怖くなるし、そんな自分が嫌になったり、後悔したりするようになる**のではないでしょうか。

だから、準備を万全にし、『見ている側』にまわる。そうすれば、緊張なんかしないですからね。

人前であがらない人が密かにやっていること

たとえば、人前で話すことが苦手だ。「あのとき、ああ言っておけばよかった」と後悔することが多い。だったら、自己紹介だって、朝礼で話すことだって、会議で発言したいことだって事前に準備すればいい。

　セミナーなどでも、毎回「自己紹介が苦手なんですよ」と言う人がいます。毎回そうなら、紙にでも書いて、何を話すのか事前に考え、そしてそれを鏡の前で何度も練習すればいい。また友人などにも聞いてもらえばいいではないですか。

「自己紹介」が苦手な人だって、就職活動しているときはちゃんと言えたはず。それは、事前に考え、それを紙に書き、何度も練習していたからではないですか。だったら、それをやればいい。

　たとえば、朝礼で月1回自分の話す順番がまわってくる。5分間スピーチをしなければいけない。なら、早めに用意しておけばいいだけのこと。

　前日とか、2日前になって考えるから、焦ってしまいいい案が出てこなかったりするのです。早めに考えたり、ネタを探しておけばいい。そして、それを何度も繰り返し練習すればいい。2週間でも3週間でも毎日話していれば、その話は上手になりますよ。

「でも、そんな何回もすると気持ちが入らなくなって、棒読みのようになってしまうんじゃないですか？」

などと、言う人がいます。なら、棒読みにならないよう、いかにも気持ちが入っているよう練習すればいい。

それに、だいたいすぐに緊張してしまうという人は、その場でのアドリブなんかでは絶対に話せませんよ。まずはよく準備＆練習し、『見ている側』になれるようになってから、アドリブで話すようにしてください。

あるいは、初デートで雰囲気のいいレストランを予約した。私はそんなことをしなくても、あなたがよく行くお店でいいと思うのですが、緊張してしまうようで不安なら何度か行ってみたらいい。友人を連れて行ってもいいし、一人で行ったっていい。

そのときに、レストランをよく見ておけば、緊張もしづらくなるでしょう。

「今度、大切な人とのデートで来ようかと思って——」

と、お店の人に言えば、あなたのためにいろいろ教えてくれたり、当日も良くしてくれたり、応援してくれるようになるはず。言うのは恥ずかしいでしょうが、言ってみる価値はあります。

ここ折る

「準備不足でした！」と絶対に言ってはいけない！

プレゼンなどを行なうと、必ず終わった後に「準備不足でした！」と言う人がいます。もちろん、忙しかったのでしょう。しかし、それは「やる気がなかった！」と言っているのと同じことですよ。

それに、だいたい準備不足だったら、うまくいくわけがありません‼　競合プレゼンだったら、それで勝てるわけがありません！

厳しい言い方をすれば、**ビジネスでは「準備している」か「準備していない」かのどちらかしかありません。準備不足とは、「準備していない」と同じことなのです。**

私は新店をオープンしたときに、店長や本部の人間に何か指摘すると、

「まだオープンしたばかりだから……」

と平気な顔で言い訳をされるのが一番頭に来ます。「オープンしたばかりだから、

まだできてないのはしょうがないよね」という論理なのです。

だいたいそれはお店側の言い分で、まったくお客さんのことを考えていません!!

準備不足のお店に来たお客さんに失礼極まりないです!

なかにはオープンを楽しみにしてくれていたお客さんだっているのに。それに、一番オープン期間が集客できて、お客さんの期待値だって高いのに、準備をしっかりしていなかったために、多くのお客さんを取り逃がしてしまうのです。

もちろん、私も今まで新店を何店舗も経験していますから、その大変さはわかります。しかし、それでもオープンまでにしっかりと準備をしておくのではないですか。

私はオープン2週間前には、工事の途中でしたが仮オープン日として、本部の人間や業者の方たちを招いて、スタッフだけでお店をまわしました。オープン前から、いろんな事態を想像して、社員抜きのスタッフだけでまわせるようトレーニングしてきたのです。すると、**予期してなかった問題や準備不足の点が明らかになる**。その2週間でその問題点や準備不足の点を改善していくのです。

あなたもプレゼンなどを行なうことが決まったとします。

そしたら、1週間前とか、3日前とかでもいいから、仮プレゼンの日を決めておく。その日を目標に徹底的に準備する。そして、仮プレゼンを本番と同じように行なう。聞いてくれる人など、協力してもらえる人がいたらしてもらうといい。そして、そこで準備不足の点が明らかになったら、本番までに調整すればいいのです。

それぐらいに準備していただきたいのです。

覚悟を決めて、本気で準備していただきたいのです！

これでピタッと止まる！

嫌いなことから逃げれば逃げるほど不安は大きくなるもの。事前の徹底した準備で「気持ち」をプラスに変えよう。

自分にかかった〝悪い暗示〟を解く法

準備すれば、緊張しなくなってきます。それは、これまで説明してきた通りです。よく言われることでもあるし、いろんな本に書いてあることでもあります。

しかし、徹底的に準備したにもかかわらず、緊張してしまう場合もあります。

もしかしたら、あなたもあるかもしれません。かなり準備したのにいざ本番ではあがってしまったり、スポーツだって誰よりもがんばって練習したのにすごく緊張してしまい、自分の力が発揮できなかったということが。

それは、あなたに〝あること〟が抜けているためです。


〝あること〟とは何か？

普段から、自分が緊張してしまうような言葉遣いをしてしまっているということです。

「僕は、人前に出るといつも緊張しちゃうから」
「自分は、緊張しいだから」
「私って、すごいあがり症なの」
「オレさー、名刺交換がすごい苦手なんだよね」
「昔から人前に出ると、体が震えちゃって」
「オレって、本番に弱いんだよね〜」
「男性が苦手で、男性を前にすると緊張して話せなくなるんです」

このようなことを口にしていないでしょうか?

もし、あなたが自分は緊張することをまわりに平気で伝えているようなら、今すぐにやめてください!

だから、緊張してしまうんです! というより、あなたが自分で緊張するよう仕向けているのです。

あなたはまわりに自分のことを正直に言っているつもりかもしれない。もしくは、

「だから、緊張しちゃってうまくできないからね」

と、できなかったときの言い訳を先まわりして言っていたり、

「だから、緊張しちゃうんでどうにかしてほしい」

と、助けを求めているのかもしれません。

でも、考えてみてください――。

あなたがまわりに「私は、人前に出るといつも緊張しちゃうから」的なことを言っていたとします。


思いっきり自分自身に、「いつも緊張する」という暗示をかけているのではないですか？


昔から言霊と言われているように、言葉には魂が宿ると言われています。「いつも緊張する」と言えば言うほど、あなたは「いつも緊張する人」になっていくのです。

こんな言葉を発していたら、いくら準備を徹底しても、「でも、オレいつも緊張しちゃうんだよな……」って、緊張してしまうし、あなたの潜在意識だって、あなたが口に

出している望み通りに、いつも緊張するよう導いていってくれます。

それに、「いつも緊張するから」とまわりに言えば、まわりもあなたのことを「いつも緊張する人」として接するようになります。すると、ますますいつも緊張する人になっていくのです。

あなたが、「いつも緊張するから」と口に出せば出すほど、内側（自分自身）からも外側（まわり）からも、いつも緊張するための暗示を入れてしまっているのです。

緊張しないようになる暗示を入れる

今まで言っていた「いつも緊張する」という暗示を解くためにどうすればいいでしょうか？

「いつも緊張する」と言わないようにすればいい。

しかし、これだけでは、あなたが今まで積み重ねてきた暗示を解くには不十分です。

では、どうすればいいか？

先ほど、『「いつも緊張するから」と口に出せば出すほど、内側（自分自身）からも外側（まわり）からも、いつも緊張するための暗示を入れてしまっている』とお伝えしました。

これを逆手にとって、今度は〝緊張しないようにする〟暗示を入れちゃえばいいのです。つまり、まわりに、

「昔は、人前に出ると緊張した」

「以前は、緊張しいだったな〜」

「昔は、女性が苦手でさ〜、女性を前にすると話せなかったんだよね」

などと言えばいいんです。

すると、**「今は違う」という暗示が入っていく**のです。

初めて会う人など、あなたが今まで緊張していたことを知らない人は、「そうなんだ……。じゃ、今は緊張しないんだ」と、あなたは緊張しないものとして接するでしょう。今までのあなたのことを知っている人は、

「あれ、いつも緊張するんじゃなかったの？」

と言ってくるかもしれません。その場合は、

「そんなことも前はあったたっけね」とか、

「以前は緊張していたな。今はしなくなったけど」

などと言えばいい。するとまわりからも、あなた自身も「今は違うもの」として暗示が入っていくのです。

あなたが**すぐにあがってしまう自分とさよならしたいのなら、「自分は緊張する」みたいな言葉を発するのをやめてください。「昔は〜、○○だった」に言葉を変えてください。**

緊張は、見た目にはわからないもの

「でも、そんなこと言って、人前であがったらどうするんですか！」

と思った人もいるかもしれません。

そんなこと気にする必要はありません。**あなたが思っている以上に、人はあなたの緊張をわからないもの**だからです。

ここ折る

口ぐせを変えるだけで悪い暗示が解ける

人前だと緊張する

ではなく、

- 昔は、人前に出ると緊張した
- 以前は、緊張しいだったな〜
- 昔は、女性が苦手でさ〜、女性を前にすると話せなかったんだよね
- 前は、会議で発言するのが嫌いだったな〜

「今は違う」という暗示を入れるだけ！

「あー、緊張した」と言いながらも、まったく緊張しているようには見えない人があなたのまわりにもいるはずです。あなたが普段からまわりに緊張するようなことを言っていれば、まわりも気づきますが、言わなければ意外とわからないものですよ。

しかし、たとえば人前で話していたときに、緊張してしまい、

「すごい緊張していたけど、大丈夫？」

と言われてしまったら、次のように返答すればいいだけのこと。

「そう？　緊張はしていなかったけどな。でも、実は体調が悪かったんだよねー」

昔、私も緊張したときに使った手ですが、いくら緊張していたとしてもバレませんよ。また、ちょっと緊張したのが見えただけでも、すぐに、

「今、緊張してたでしょ？」

みたいなことを言ってくる人がなかにはいます。そういう人は、経験上間違いなく自分がものすごく緊張する人なんですが、そう言われた場合も、

「そうですか、緊張はしてなかったですけどね」

と言えばいい。すると、相手は「自分の勘違いだった」と思いますから。

また、緊張しないようにする暗示を入れるとお伝えしましたが、注意点が1つあり

ここ折る

ます。

自分にいい暗示を入れるためなんだからと、「いつも緊張する」とか「女性と話すのが苦手」というのをまったく逆にして、

「私は、人前に立っても、ぜんぜん緊張しない」

「女性と話すのが得意でさ〜」

みたいなことをまわりに言わないほうがいいでしょう。

だって、こんなこと言っていたらまわりは、

「じゃ、お手並み拝見といこうじゃないか」

とつい批判的になってしまいます。

「昔は〜、〇〇だった」と言うほうが断然いいです。

これでピタッと止まる!

「いつも緊張する」↓「以前は、緊張しいだった」
つい口に出してしまう言葉を言い換えてみよう。

「否定語」を使う人ほど、かえって緊張してしまう

緊張してしまったとき、あなたは頭のなかで、どういうふうに考えていますか？

たとえば、人前に立つ直前など、このようなことを考えていないでしょうか？

「緊張したら、嫌だな。緊張するわけにはいかないぞ！」

「震えちゃいけない。マイクが震えないように話さないと！」

このように考えているようなら、まず、これが自分で勝手に緊張するように仕向けているんです。

だって、「緊張しちゃいけない、緊張しちゃいけない……」と思えば思うほど、緊張してしまうものですよね？

それは、潜在意識は否定語を理解できないためです。**潜在意識にとっては、「緊張する」も「緊張しない」も同じ意味になってしまう**のです。

「緊張しちゃいけない、緊張しちゃいけない……」と考えれば考えるほど、潜在意識には「緊張」「緊張」というメッセージが入っていき、ますます緊張するようになってしまうのです。

だから、「緊張しないように話そう」だったら「落ち着いて話そう！」に、「震えないようにしないと」と思うなら「リラックスしよう」など、**否定語を肯定語に変えるようにしてください。**

潜在意識に働きかける最強テクニック

ただ、「リラックスする」とか「落ち着こう」というのは、どうしても意識では操作できないことです。

「リラックス、リラックス……」と自分に言い聞かせても、少しは効くかもしれませんが、あまり期待できるものではありません。

しかし、石井裕之先生から教えていただいた、**最強の潜在意識テクニック『コンシャス＝アンコンシャス・ダブルバインド』を使えば、「意識でできること」と結合させることにより、「意識でできないこと」も暗示として入れることが可能です。**

公式的に言ってしまえば、次のページの通り――。

たとえば、「この水を飲んだら、落ち着くさ」とか、「トイレに行ったら、リラックスできるだろう」と自分自身に声をかければいい。

「落ち着くこと」や「リラックスできること」は意識でできなくても、「水を飲むこと」や「トイレに行くこと」は、意識でできますよね？

「意識でできること」――この場合でしたら「水を飲む」とか「トイレに行く」という行為をすると、**潜在意識のなかではその行為がキュー（合図）となって、「意識でできないこと」が暗示として動き始めてくる**のです。

「今、水を飲んだな……あれっ水を飲んだら何か起こるんだったな……。そうだ、『落ち着く』んだった……」

って、潜在意識のなかでは動いているんです。あくまで意識で起こるのではなく、

ここ折る

意識ではできないことをするためには、

「【意識でできること】をすれば、
【意識でできないこと】になる」

と言えばいい。

意識でできること

＝

「水を飲む」「トイレに行く」「前に出る」
「イスに座る」「電車に乗る」「歩く」

意識でできないこと

＝

「リラックスする」「落ち着く」「やさしい気持ちになる」

潜在意識レベルですからね。

このときのポイントは、〝**意識できないこと**〟**をさらっと話すこと**。あまり力んだり、そこばかり意識すると効果はなくなってしまいます。こうなったら、ラッキーぐらいに思っておいて、つぶやくといいでしょう。

プレゼンの前には、「きっと前に立ったら、リラックスして話せるさ」とでも、つぶやけばいい。

すると、あなたが前に立つときは、『見ている側』になることを意識しているはずなので、プレゼンが始まる前に自分につぶやいたことなど忘れているでしょう。しかし、潜在意識は忘れずに、動き始めていくのです。

あなたが大切な人を応援する際は、

「緊張しないようにね！」

「あなたは人前に出るとすぐ頭が真っ白になるから、気をつけてね！」

「くれぐれもミスには気をつけてね！」

などと言うのは、相手に緊張やミスを導いているようなものです。だから、

「落ち着いて！」

とかポジティブな言葉で励ましたり、

「きっと前に出て、話し始めたら、落ち着いて話せるよ！」

など、『コンシャス＝アンコンシャス・ダブルバインド』を使って励ますとよいです。

あまりにも緊張している様子が見えたら、

「まぁ、このコーヒーでも飲んで、落ち着いて話そうよ」

「とりあえず、そこのイスにでも座って。座ればきっと落ち着いてくるかもしれないから」

などと話しかけて、リラックスさせてあげるといいでしょう。


これでピタッと止まる！


「緊張しないように」は、より緊張させるだけ！

「演台の前に立ったら、楽しく話せるさ」とつぶやこう。

ここ折る

自分のプレゼンを客観的に見られるようになる法

たとえば、本社や本部の人間が何か説明に来たとします。それを聞きながら、あなたは、

「ここをもっとこう説明すればわかりやすくなるのに……」

「え〜と〜、という口癖が気になる。聞いている人のことを考えたらやめたほうがいいのに……」

「僕ら現場の心をつかむためには、まず日ごろの感謝の言葉を伝えてから説明に入らないと！　ダメだよなぁ」

などと改善点が浮かんでくるかもしれません。

では、なぜ、あなたは改善点がわかるのでしょうか？

それは客観的に見ているからなんです。
しかし、話している当人は自分の話に精一杯で、そんなところまで見られません。あなたは話している当人じゃないから、客観的に見ることができる。スポーツ観戦でも同じですよね。サッカーを観ていて、「今、逆サイドが空いているのに!!」とわかるのは客観的に、もしくは大きな視点から見ているからなのです。
だから、自分が人前で話すときなど、自分の話を客観的に聞けるようになればいい。すると、何度も同じ話をしたりとか、「え〜と〜」と言ったりする自分の悪いクセがなくなってくるし、当然落ち着いて話せるようになります。

では、客観的に聞けるようになるためには、どうすればいいでしょうか?

自分が話したこと——それは自分でつくった自己紹介でもいいし、プレゼン内容でもいい——それを録音して、何度も聞くことです。

自分の「本当の声」を知っていますか？

最初聞いたときには、自分とは違う声にビックリするでしょう。なんて変な声だったんだって思うかもしれないし、キモい!! ってガッカリするかもしれません。

なぜ、いつも聞いている声と違うか？ と言ったら、**私たち自身がいつも聞いている自分の声は、『口から発した声が、空気中を伝って、外耳から聞こえる声』と、『骨を伝道して、内耳から聞こえてくる声』とが合わさって聞こえるため**です。

録音した声は、空気中を伝わって外耳から聞こえる声のみだから違って聞こえるのです。

でもその声が、他人がいつも聞いている声だし、あなたの本当の声なのです。

最初は何十年も聞いてきた自分の声と違うぶん、慣れていないため、声の嫌さが気になるでしょう。ですが、自分の声が気にならなくなるぐらいまで何度も繰り返し聞いてください。できたら、自分の声が好きになるぐらい聞いてもらえるといいです。

すると、話をしていても、自分の声を客観的に聞けるようになります。

当然、客観的に聞こえるようになれば、自分の緊張度が客観的にわかるようになり、効果的に『見ている側』に切り替えることができるようになります。


また、可能なら話している姿をビデオカメラで録画してもいいでしょう。すると、自分の立っているときのだらしない姿勢、弱弱しいお辞儀の仕方や目線の動き、変な手のクセなどもわかるようになります。

最初見たときは、嫌でしょう。何だ、この姿は！　と落ち込むかもしれません。しかし、見れば直すことができます。そして、それを何度も見れば、自分の姿も客観的に、もしくは大きな視点から見られるようになります。

録音、録画ともにチェックの仕方ですが、まずは自分の声や動きが嫌ではなくなるまで何度も聞いたり、見たりする。次に、自分がというより、**後輩や部下の話を聞き、アドバイスする立場で聞いたり、見たりする**と良いでしょう。すると、悪い点や改善点だけでなく、良いところも見られるようになります。

なかなか自分の声を録音して聞いたり、自分の話している姿を録画までしている人はいません。トレーニングとして効果的なのは知っていたとしても、面倒くさいし、自分の違う声を聞いたり、できないところを目の当たりにするのは誰でも嫌だからです。

だから、やった人はグーンと成長できるのです。成長したい、変わりたいと思っているあなたにはやらない理由はないですよね。

これでピタッと止まる!

声のトーン、姿勢、手ぶり、表情など、普段の話し方や何気ないクセを点検しよう。

「1日15分」でガラリと変わるメンタルトレーニング

人前で話すとき、名刺交換するとき、自分がそれを行なうイメージを立ててやってみてください。

たとえば、名刺交換だったら、あなたは笑顔で堂々と自信を持って行ない、その後も相手をほめたり、楽しく話している姿。できるだけ、何をほめたか、どんな話をしているのかまで具体的にイメージするようにしてください。

プレゼンだったら、クライアントの前で真剣に、そして堂々と自信を持ってプレゼンしている姿。その話している内容まで、イメージしてください。厳しめの質問や批判的な質問にも、堂々とそして相手を包み込みながら回答している姿。その質問内容や回答している内容もイメージしていってください。

そして、終わった後、クライアントが満足そうにしている姿や、上司が「今日のプレゼンは良かった」とほめている姿。あなたが満足気に電車に乗って、会社に戻っていく姿など……。

あなたがこうなりたいな、こう在りたいなという良いイメージをなるべく具体的にイメージするのです。

「想いは実現する」とよく言われます。その通りなのですが、イメージトレーニングをすればするほど、それは現実化していきます。

そして、このメンタル・イメージトレーニングを何度も重ねて行なうと、自分でも驚くぐらいに当日の緊張度が低くなりますよ。やらない手はありませんよね。

「メンタル・イメージトレーニング」のポイントを４つお伝えしておきます。

①ポジティブなイメージで行なう

このとき、注意してほしいのが良いイメージで行なうこと。

自分が緊張してうまく話せなくなるイメージなんかいりません。また、そういうイメージを持ったり、不安なことばかり考えるから、それが現実化してしまうのです。

だから、ポジティブなイメージで考えてください。

たとえば、あなたが人前で流暢に話して、みんなが楽しげに聞いているイメージなどをつくってほしいのです。

②できるだけリアルにイメージする

単なるポジティブなイメージだけでなく、できるだけ具体的にイメージしてください。

たとえば、プレゼンだったら、場所がわかっていれば、その場所の間取りや匂い、入り口から入ってきて演台に立つまでの流れ、聞いている人たちの顔、そして実際に話す具体的な内容までイメージしてください。そして、予測できる質問内容やその回答方法までイメージしてほしいのです。

当然厳しい質問も来るでしょう。それを事前にイメージし、それに堂々と答えている姿や内容までイメージしてください。

ここ折る

③リアルトレーニングも入れる

たとえば、まるで誰かが聞いているようなイメージでプレゼン内容を話したり、鏡の自分に向かって名刺交換をしたり、もしくは家族や友人に手伝ってもらったりと、リアルなトレーニングも取り入れると効果的です。

一人で行なってもいいですが、同僚やセミナーで知り合った友人など、一緒に学べたり、一緒にトレーニングができる友人をつくるといいですね。

④繰り返し何度も行なう

何度も行なうことによって、それが現実化に近づいていきます。イメージすればするほど、近づいていくのです。もちろん、リアルトレーニングの回数も増やせば増やすだけ効果的です。

当たり前のことですが、どんなことも繰り返し行なうことによって、どんどん上達していきます。

だから、毎日の通勤や通学途中、毎日寝る前の15分だけでもいいですから、それを何度も行なうようにしてください。

ここ折る

「メンタル・イメージトレーニング」のポイント

❶ ポジティブなイメージで行なう

- 失敗したときのイメージはいらない。
- 緊張してうまく話せなくなることばかり考えると、それが現実化してしまう。

❷ できるだけリアルにイメージする

- 具体的にイメージすること。
- 実際に話す具体的な内容までイメージすること。
- 予測できる質問内容やその回答方法までイメージするといい。
- 厳しい質問を事前にイメージし、それを堂々と答えている姿や内容までイメージしよう。

❸ リアルトレーニングも入れる

- 誰かが聞いているイメージで話したり、鏡の自分に向かって名刺交換をすること。
- 一緒にトレーニングができる友人がいると効果的。

❹ 繰り返し何度も行なう

- 何度も行なうことで、現実化に近づいていく。
- 1日15分でもいいから、何度も行なうようにすること。

こういうのは試験勉強と同じで、ギリギリでやらずに、なるべく早くからイメージトレーニングするといいですよ。

「相手には相手の都合がある」と心得ておく

メンタル・イメージトレーニングをすればするほど、それが実現化するとお伝えしました。確かにその通りだし、あなたも繰り返し行なえば、その効果を体験できるでしょう。

しかし、すべてうまくいくとは限りません。こんなこと当たり前のことですが、念のため、お伝えしておきます。

それは相手にも都合があるからです。あなたの都合通りに事が運ぶとは限りません。たとえば、あなたに好きな人がいて、今度告白しようと思っている。3週間毎日メンタル・イメージトレーニングを行なってきたとしましょう。

きっと、その効果はあってか、緊張度は半減して告白することができるでしょう。しかし、あなたの告白をOKするか、しないかは、相手次第です。いくらあなたがイ

ここ折る

メージしても、相手には相手の都合（好みの問題や、今好きな人がいるとか、目標に向かっていて今は恋愛したくないとか……）があり、うまくいくとは限りません。

当然のことですが、このことを忘れないでください。

ただ、**だからといってやらないのではなく、自分ができる精一杯のことをする。**

これは実現化するためにとても大切なことだし、たとえ、結果としてうまくいかなかったとしても、必ず次につながるものですよ。


これでピタッと止まる！

「こんなふうになれたらいいなあ」という気持ちを抑圧せずに、「もう一人の自分」をありありとイメージしてみよう。

パニックになったときの"瞬間対処法"

緊張したとき、手っ取り早く緊張をとるには、**思わず笑ってしまう**ことです。笑うと爽快感があるし、緊張が軽減されるのがわかるはずです。

なぜなら、**「緊張」と「楽しい気持ち」とは真逆にあるため**です。**楽しい気持ちになれば、当然その逆の緊張はとれていくのです。**これは、感謝の気持ちも一緒です。

私は緊張をとったり、または落ち込んでいる人を元気づけるのが上手だとよく言われます。その秘訣はカンタンです。相手を笑わせたり、私自身が楽しい気持ちでいるため、それが相手に伝染したりするからなのです。

緊張している、あがっていると思ったら、思わず笑ってしまうようなことを想像したり、感謝の気持ちが出てくるようことを思い出せばいいのです。

特に面接や試験での待ち時間、移動時間など緊張してしまうようなときに、思い出すといいでしょう。もちろん、まわりに人がいたら大笑いはできないでしょうが、ニヤニヤするぐらいはいいのではないでしょうか。

こう説明するとカンタンですが、実際のリアルな緊張している場面ではわかっていても、なかなか楽しい気持ちになったり、感謝の気持ちを出すのは難しいものです。だから、あらかじめ、楽しい気持ちとか、感謝の気持ちを思い出すことができるモノ（写真、手紙、思い出の品、感謝の気持ちを書いた手帳など）を持ち歩くとよいでしょう。

①楽しい気持ちになることをイメージする。

一番いいのは、思わず笑ってしまうことを思い出すことです。あなたも考えるだけで、笑ってしまったりニヤニヤしてしまうことはあるでしょう。

②感謝の気持ちを思い出す。

どんな人も一人の力では生きていけません。まわりの人に支えられ、助けられ、今のあなたがいるのです。

私も考えてみると、今まで多くの人に助けられたり、力になってもらったり、やさしくしてもらったり、信頼してもらったり、何もできなかったのに目をかけてもらったりしてきたものです。

あなたもそのことを思い出したり、気持ちを向けたりしてみてください。

・いつもあなたのことを応援してくれている恋人や家族。
・あなたのことが大好きで、あなたの帰りをいつも待っている子どもやペット。
・あなたが落ち込んだときに、一生懸命元気づけてくれた友人。
・あなたが病気で倒れたとき、何度も心配してお見舞いに来てくれた上司。
・なぜか、デキもしない自分のことに目をかけてくれた恩師。
・まだ営業もロクにできなかったのに、自分のことを信頼してくれ、注文をくれたお客さま。

ここ折る

思わず笑顔になることを思い出すだけで緊張は止まる

- **かわいい子どもやペット、恋人、仲間たちの写真を見る**

子どもの笑顔の写真、仲間のくだらないポーズをしている写真、恋人との楽しい思い出の写真など。

- **子どもが一生懸命書いてくれた手紙を見る**

私は娘が書いてくれた、「パパいつも遊んでくれてありがとう」の手紙を持ち歩いてます！

- **好きなお笑い芸人のネタを思い出す**

- **恋人や友人との楽しかった旅行のことを思い出す**

思い出のストラップや写真などを見るといいでしょう。

- **つい笑ってしまうような自分の体験談を思い出す**

電車で気づいたら靴や靴下が違っていたこと。間違えて娘のアンパンマンのハンカチを持ってきてしまったこと。会社でお弁当を開けたら、思いっきりハートマークが入っていたことなど。

- **思わず元気になってしまう曲を聴いたり、口ずさんだり、心のなかで歌ったりしてみる**

私は某女性アイドルグループの曲を聴くと元気モリモリになります！（笑）

感謝の気持ちを思い出すと、心があたたまってくるのではないでしょうか。

それに、自分のことを応援してくれたり、信じてくれたり、よくしてくれたりしてきた人たちのことを考えると、「その人たちのためにも、もっとがんばらないといけないな」と思うのではないでしょうか。


きっと、あなたのことを助けてくれた恩師などは、あなたが成長するのが何より楽しみなのです。あなたがイキイキと輝いている姿を見せることが何よりうれしいはず。

ならば、緊張なんかに負けずにがんばりましょうよ。

あなたのためだけでなく、あなたに今まで目をかけてくれた人たちのためにも——。

上がった重心を下げる『重心移動法』

緊張してあがっているときは、文字通り、重心が上にあがっています。

リラックスしていたり落ち着いている状態のときには、重心はおへそから指3本ぐらい下の「丹田（たんでん）」という場所にあります。

しかし、緊張すると重心が上半身にあがってきます。そのため、肩や腕、胸、首に妙に力が入ったり、足元がグラグラとおぼつかなくなったりするわけです。

とくに緊張しやすい人は、頭のほうにまで上がってきてしまいますので、何も考えられなくなって頭のなかが真っ白になったり、顔や耳が赤らんだり、額から大量の汗をかいたりするようになるのです。

だから、緊張しているときは、重心を下げなければいけません。

とはいえ、じっと座って重心を落とそうと思っても、重心は落ちません。

でも、重心を落とすとてもカンタンな方法があります。

それは、ただ、ジャンプをするだけ!!

軽くでいいですから、ぴょんぴょんとほんの数回跳ねるだけで、カンタンに重心が落ちていきますよ。

よくスポーツ選手が試合の開始前に、ぴょんぴょんと飛んでいる姿を見たことがあると思います。

緊張しているなと思ったら、ジャンプしてみてください。

ただ、注意事項が2つあります。

ひとつは頭など上のほうに意識を持ったままジャンプしても変わりません。意識や体の重みがどんどん下がっていって、足元まで行くようなつもりでジャンプしてください。わかりにくければ、**地面についている「足のつま先」を意識して（つま先に体の重みがあるようなつもりで）ジャンプしてください。**

もうひとつは、ジャンプの終わりのタイミングです。パタっと突然終わると体がグラグラしてしまい、不安定になります。

いちばん最後のジャンプは、ジャンプが終わったら、腰を少し落として（スキージャンパーの構えのように）、そこからゆっくり上がっていき、元の立ち方に戻っていってください。

その際に、**足裏全体、とくに足のつま先がしっかり地面についているのがポイント**です。なかには、このとき少し前かがみかな、と思われる方もいるかもしれませんが、これが安定した姿勢であり、横から見るとまっすぐきれいに立っているのがわかります。

スポーツなどはジャンプしやすいですが、面接や試験の前などはそうはいきません。その場合は、トイレや人がいない階段の踊り場などで飛ぶようにしましょう。人に見られたら恥ずかしいですけどね（笑）。

そして、ジャンプし終わったら、『見ている側』の意識を高めることを忘れないでくださいね。

ドキドキを静める『ほこりゆらゆら法』

いざ本番前！　となると、緊張で心臓がドキドキして止まらなくなるかもしれません。そんなとき私たちは、心臓のあたりを静めようとします。

しかし、いくら静めようと思っても静まらなくなかったですか？

心臓の鼓動を感じちゃったりして、余計にドキドキしてしまったりします。

心は身体のなかにあると思うから、身体のなかの心を静めようとします。心は脳にあると思っている人は、頭のあたりを静めようとするから、より頭に意識が向かっていき、よりあがるようになってしまいます。

では、どうすればいいのか？

67ページでも少しお伝えしましたが、心は身体のなかにあるのではなく、心のなかに身体があります。

心は自分の身体のまわりを囲んでいるのだから、**自分のまわりに意識を置いて、そのまわりの空間を静めればいいのです。**

たとえば、肉眼ではなかなか見えませんが、あなたのまわりには小さなほこりが多数飛んでいます。そのまわりの多数のほこりが、上からゆらゆらと下に落ちていくイメージを持てばいいです。

太陽光などが差していれば、ほこりを探してみて、実際にほこりが落ちていく様子を見てもいい。ほこりが何個か見えたら、よく見ると、一つひとつは違う動きをして落ちていっていることに気づきます。そういった様子を見てもいい。

するとあがっていたものが下に落ちていき、ドキドキが軽減されていきます。

手足のぶるぶるした震えが止まる『無意識の意識化』

あなたも人前に立ったとき、突然指されて発言しないといけないとき、スポーツや習い事の発表のときなど、手足がぶるぶる震えてしまったことはありませんか？

人が見ている前での震えほどイヤなものはありません。だから、焦って震えを止めようとする。しかし、ぜんぜん止まらない――きっと、あなたもこんな経験があるかと思います。

なぜ震えが止まらないかといえば、**緊張は意識でコントロールできない「心の機能」だからです。**

誰だって、手足を震わせたくて震わせているわけではありません。勝手に震えてしまっている。

イライラだってそうですよね？　イライラしているのを抑えたくても、イライラは意識でコントロールできないから止められない。だから、イライラしている相手に「イライラするな！」と指摘したら、余計にイライラしちゃったりするのです。
しかし、意識でコントロールできる「身体の機能」はどうにかできます。
たとえば、歩く、頭をかく、手を動かしてモノをとる、笑顔になる、肩を上げ下げするなど、自分の意識でコントロールすることができますよね？

なぜ、手足の震えが取れないかといったら、震えを止めよう、震えを止めようとしているから。逆にそこに意識が行ってしまって余計に震えが止まらなくなるのです。

いっそのこと、もっと震わせてしまえばいいのです！
たとえば、手にぶるぶる震えが出たら、自分で意識してもっと大きく震わす。足がガクガクしたら、足をもっと大きくガクガク震わす。

「心の機能」で手足が震えてしまっているのはコントロールできない。しかし、「身

ここ折る

体の機能」である、手足を動かすことはコントロールできるはず。するとと、自分の意識で動かしている（コントロールしている）震えなので、止めることもできるようになるのです。つまり――

無意識で起こってしまっていることを、意識化するのです！

「え？　そんなことできる？」

と　思われたかもしれません。

いいですか！　なんとか、止めよう止めようとするからドツボにハマってしまうのです。

動かしゃいいんです!!　騙されたと思って、思いきって震える手足を大きく動かしてみてください。自分の意志ではっきり大きく動かすのです！

自分の意識で動かせるんだから、自分の意識で止めることもできます。

「そんな手足を大きく動かしたら変じゃないですか？」

と思われた方もいるかもしれません。

そりゃ変です。でも、ずっとやり続けるわけじゃありません。ほんの一瞬、時間にしても3秒、長くても10秒ぐらいです。動かしたって皆そんなこと、すぐ忘れてしまいます。それより、ずっと手足をぶるぶる震わせながら話したりしているほうがずっと変です。それに、震えが気になっているなか話し続けるのなんて、本当につらいだけじゃないですか。


私も以前、目上の人ばかりが集まるパーティーに初めて参加したとき、突然、一番最初に5分ぐらいスピーチをしてくれと頼まれたことがあります。あまりにも突然人前に出され、

「え？　なんで自分が？　他にたくさんいるでしょ？　準備もしていないし、どんなパーティーなのかもまだよくわかっていないし、話すことなんかないよ！」

と拒否反応が先に出てしまって、『見ている側』になる前にマイクを渡されてしまったから、マイクを持つ手がぶるぶる震えてしまいました。

でも、あえて大きく動かしてみたら、ぱたっと止めることができました。壇上に立

ち、マイクを持つ手を大きく動かし、それから話し始めたから、そんなにおかしくはなかったと思います。

経験的に言っても、もし完全に震えが止められなかったとしても、明らかに最初より震えは収まっていますので、ご安心ください。

「あれ？　さっきより震えが収まってるぞ！」

と少しでも感じることができれば、震えは次第に収まっていきますよ。

急な赤面を一瞬で戻す方法

これは、言い方を変えれば、自分の「立ち位置」を変えていることでもあります。

「手が震えている」から、「手を震わせている」に、変わっているのです。

ちょっとした言い回しの違いに見えるかもしれませんが、この能動的な「立ち位置」の変化は非常に重要ですよ！

以前、私が毎月開催している勉強会に赤面で困っている女性が参加しました。緊張するとすぐ顔が赤くなってしまうとのこと。女性でしたので、私はその姿がかわいらしく見え、そこまで気にする必要はないと思いました。しかし、本人は赤面してしまうことをすごく気にしていました。

顔が赤くなるのは、顔全体が熱くなるからわかります。自分でも赤面になってしまったのがわかるから、それを止めよう、止めようとするので、逆に意識が顔に行って、より真っ赤になってしまう。

そのとき「自分のなかの立ち位置が変わるだけで、こんなにも身体に変化がある」といったワークを行なった後に、彼女に次のようにアドバイスをしました。

「『顔が赤くなった』じゃなくて、『あえて顔を赤くしてる』と思ってごらん！」

すると、参加者の前で発表する時間があったのですが、彼女を前に出した瞬間、確かに顔が赤くなりましたが、すぐに元の顔色に戻るようになったのです。

実際には「あえて顔色を赤くする」ことはできないかもしれません。しかし、そう思うことで、自分の「立ち位置」はまったく変わります。すると、取れてくるのです。

この「立ち位置」の変化は人間関係でも役立ちます。

たとえば、同僚や友人に自分の悪口を言われたとします。つい「悪口を言われた」と思うから、

「なんで、オレがアイツにそんなこと言われなければいけないんだ！」とか、

「よく、そんなこと言うな！　アイツのほうができてないじゃんかよ！」

と反発心が出てきたり、頭に来たりします。

しかし、「あえて悪口を言わせている！」と思ったらどうでしょうか？

あなたが悪口を言わせているのです。もっと言えば、相手に悪口を吐き出させているのです。すると、そんなに頭に来なかったりしませんか？

「あえて悪口を言わせている」という「立ち位置」になると、あなたも相手に反発しないから、相手も次第に悪口を言うのをやめます。もし目の前で悪口を言ってきたと

しても、

「もっともっと言って！」

と容認すれば、相手は次第に言わなくなってくるでしょうし、第三者から聞いた場合は、

「オレはアイツのこと、好きだし、認めているんだけどなー」

的に言えば、それが伝わって相手も言いづらくなってくるでしょう。

緊張したっていい！　と少しでも思えたら……

ところであなたは、「緊張しちゃいけない！」「緊張しちゃいけない！」と思っていないでしょうか？

「震えちゃいけない！」「震えちゃいけない！」って思っていないでしょうか？

気持ちはよくわかります。

でも、その上で言いますが、一度こう考えてみませんか——

緊張したっていい！
あがったっていい！
震えたっていい！
顔が赤くなったっていい！

だって、もうあなたは緊張やあがりを取る方法だって、震えや顔の赤みを止める方法だって知っている。実際の緊張は1／3以下だってこともわかっている。

緊張したっていいじゃないですか！　あがったっていいじゃないですか！　震えたっていいじゃないですか！

少しでも本心からこう思えたとき、あれだけイヤだった緊張やあがりを自分のなかで受け止めたことになります。

そうすると不思議なことに、緊張しづらくなったり、あがりにくくなったり、震えづらくなったりしますよ。

なぜなら、あなたの心は大きくなっているからです。

無理に緊張を抑えようとするから、緊張している自分ばかりに気持ちが行き、逆に緊張してしまう。

緊張してもいいと思ったとき、心が広くなるとともに、視界が広くなるから、自然と『見ている側』になり緊張しづらくなる。たとえ少し緊張したとしても、すぐ元の状態に戻れるようになるのです。

大きな海の波と同じです。大きな海だって、海面を手でバチャンとやれば、波立ちます。しかし、大きな海なんだから、ほっとけばすぐに波は静まっていくのです。

「緊張している」んじゃない！　あがりや緊張を克服するために、「あえて、緊張させている」と思ったっていいですよ！

緊急に気持ちを落ち着かせる「ツボ」がある！

この章の最後に、もっともカンタンにできる対処法をお伝えします。

実は手のひらには、精神をリラックスさせるツボがあるんです！

手のひらの中央付近を、親指で軽く指圧しながら、息をゆっくり「ハァ〜」と吐いてください。これを何回か繰り返すと、なんとなく落ち着いてくるようになります。

ただ、息を吐くと、口が乾いてしまわないか心配という人は、手のひらの中央付近を親指で軽く指圧し、そのときに親指から反対側の甲まで氣が通っているイメージでもいいです。こちらのほうがやりやすいかもしれません。どちらにしろ、呼吸がしやすくなるまで行なってください。

人前で話すときなどは、手の位置に困る人もいますが、手を前にして、この手のひらの中央付近を押さえたまま、話せば落ち着いて話せるようになりますよ。

この部分は、整体の世界では「鎮心の急処」（労宮（ろうきゅう））と呼ばれているところ。その言葉通りなのですが、**心を鎮め、心臓のドキドキや緊張、焦り、不安、イライラした状態を解消し、気持ちを落ち着かせてくれます。**

私は人前で話すときは、参加者を見ながらも、自然にずっとこれをやってきたのですが、意味がわかりました。

また、講師のなかでは、これを意図的にやっているのか、無意識にやっているのかわかりませんが、手のひらの中央付近を指で押さえながら話している人がけっこういます。きわどい質問などがあると、押さえていたりします。きっと心を落ち着かせているのでしょう。

私はもうクセになっているのですが、話し始めはここを押さえて話しています。カンタンにできるし、どんなときでも使えますのでよかったら試してみてくださいね。

いよいよ次章では、具体的な場面での「あがり解消法」や「スゴ技の潜在意識テクニック」などをお伝えします。


これでピタッと止まる！

いざ本番前！　となると、とても緊張するもの。でも、もう大丈夫！　あなたはこれだけの瞬間対処法を知っている。

第4章

どんな場面でもあがらない「切り抜け」テクニック

【プレゼン編】どんな人でも賛同し始める話法

プレゼンについては、今までの章で何度も出てきていますので、読み返してみるといいでしょう。

ここではカンタンなおさらいと新しいノウハウをお伝えしています。

①少人数の場合

41ページにも書きましたが、人前で話す前に早めに前に立っておくとよいでしょう。演台に立って、休憩時間などによく見るようにしてください。出番が来て、「○○さん、お願いします」と言われて登場するのではなく、早めに自ら前に立っておくことです。

このとき、前列に座っている人と笑顔で話したり、入室してくる一人ひとりにあいさつしておくと、「話しやすい場」ができて、心もリラックスしてきますよ。

②大人数の場合

もちろん、参加者たちを見るのですが、自分の心のイメージをグ～ンと伸ばして、会場全体を包み込んでください。

そのときって、どうするんでしたっけ？

ジグソーパズルのように、全体から細分化して見ていくんですよね。

③準備について

126ページで朝礼の例などを出してお伝えしましたが、準備は徹底しておきましょう。あらゆることを想定して準備しておくとよいでしょう。ビジネスの場面で「準備不足」は「やる気がない！」と言っているようなものですからね。

④身だしなみについて

明るく見られたいなら明るい色目のものをどこか一点でも身につけたり、デキる人

ここ折る

に見られたいなら、サイズのあったスーツにネクタイを締めチーフを挿すなどするとよいでしょう。当たり前のことですが、身なりで印象はだいぶ違います。

ただ、注意しないといけないのは、慣れないものを着ると緊張してしまうということ。だから、普段着慣れないものでしたら、早めに何度か着ておくといいでしょう。

また、イメージトレーニングでなりきるのも忘れずに！

⑤立ち振る舞いについて

登場するときは、姿勢を正しく、顔をあげて（アゴは下げて）、ゆっくり歩きましょう。

つい人前に立つと顔を下に向けがちですが、丸まった背中に顔が下を向いていると、見るからに弱弱しいし、緊張している感じが見てとれます。絶対に顔をあげて前をしっかり見ましょう。

よく本などで胸をはったほうがいいとか書いてありますが、胸を無理にはる必要はありません。なぜなら、無理にはると胸に力みが生じ、そこに意識が行き、あがりやすくなってしまうからです。

緊張しやすい人は、とくに上半身が力んでしまうことが多いです。いわゆる、「カタくなる」ってやつです。文字通りに、無理に力んで体がカタくなってしまっているのです。

もし胸や腕、肩などに無理な力みを感じたら（カタくなっているのがわかったら）、その部分の力みを取りましょう。

でも、そうカンタンに力みがうまく取れない！　っていう人もいるかと思います。

そんな人たちに、いい方法をお伝えします。

一度思いっきり、胸や肩、腕などの上半身を力んでみる（カタくする）のです。

思いっきり胸をはる！

腕にギューと力を入れる。

肩を思いっきりはる。

いいですかー！　思いっきりですよ!!

すると、思いっきり力んでいる、胸や腕、肩に、なんか違和感というか、カタくなっているのを感じると思います。これは実際にやってみるとよくわかるでしょう。

だから、その違和感を取る上でも、思いっきり力んでいるのをやめればいい。ただ、力んでいるのをやめればいいだけです。

すると余分な力み（カタさ）がすべて取れて、自然な状態、いわゆるリラックスした状態になるのです。

⑥話し始めについて

名乗る場合は、すぐに名乗らずに、参加者の顔をよく見てから、ゆっくりと始める。

また、人前に立ったとき、「ふー」とゆっくり息を吐き、リラックスするのもいいですよ。私は名乗る前に、

「ふー（ここはマイクを通さずに）、こんにちは、森下裕道です」

と言い始めています。「ふー」と息を吐くことで、肩の力が抜けて良い状態で話が始められるようになります。

これをせずに急に名前を言おうとするとどもっちゃったり、震えちゃったりする。

これを防ぐためにも効果的な方法ですよ。

忘れないでいただきたいのが、聴衆の顔を見ないようにすればするほど緊張していきます。だから、顔をよく見るようにしてください。

ブスッとした表情はＮＧ！

プレゼンで大切なことは、**笑顔で楽しそうに話す**ということ。

これにつきます！（もちろん、内容にもよりますが）

聞いている人たちは、ただその姿を見ているだけで楽しい気分になっていくし、笑顔で楽しそうに話している人を見ると、仮に話術的に劣っていたとしても、惹きつけられるのです。

東京ディズニーランドのパレードでは、みんな楽しそうに笑顔で踊っています。するとあなたも楽しい気分になっていくでしょうし、惹きつけられるものがあるのではないでしょうか。これと同じことです。

作り笑いでもいいから、笑顔を出すように心がけてください。**楽しませることよりも、あなたが楽しんでいることのほうが大切です。**

もし笑えないとしたら、心が小さくなっている状態です。だから、無理にでも笑って心を大きくしてください。

あなたが思わず笑ったり微笑んでしまうような素材をあらかじめ、演台に用意しておくとよいでしょう。レジュメに子ども、恋人、ペットなどの写真を挟んだりとか、ね。よりリラックスできて、話せるようになりますよ。

「相手視点」で盛り上がれる

人前でプレゼンするということは、当たり前ですが聞いてくれる人たちがいるわけです。

何度もお伝えしていますが、自分をよく見せようとする「自分視点」ではなく、少しでも聞いてくれる人たちにわかりやすく、少しでも得になる話で、少しでも興味を持ってもらえるようにと、「相手視点」で話すようにしてください。

そうすれば、何人いたって緊張なんかそれほどしないはずです。

自分がハッピーになるために話すのではなく、相手をハッピーにするために話

すのです。

これはふつうの朝礼だろうが、何百人もいるセミナーだろうが、他社のなかで話す競合プレゼンだろうが、先生が生徒たちに授業するときも同じです。自分のことより、聞いてくれる人たちに目を向けるようにしてください。

また、会場に何十人いようが、何百人、何千人いようが、一人ひとりに話すように顔を向け話してください。

確かに、一度にたくさんの顔を見るとビクっときます。でも、**何人いようが一人ひとりの集合体です。一人ひとりに気持ちを向けてください。一人ひとりをしっかり〝見る〟のです。**

コレが悪いプレゼンの仕方！

話し方のプロである講師によっては、参加者をほとんど見ずに、自分の話すことが書いてあるレジュメや前に映し出されているスライドばかり見て話している人がいます。

私が一番驚いたのが、参加者に質問しながらも、目線は自分の手元のレジュメばかり見ていたときです。参加者に聞いといて、自分が次に何を話すかが書いてあるものばかり見ていて、私はあきれたを通り越して、ひどくガッカリしたものです。

話す内容のレジュメが大切なんじゃない！　今、目の前にいる人たちを見てあげることが大切なのです。

だから、伝わるようになるのです。講師として、**伝えるのではなくて、伝わることが大切**なのです。

あなたも人前で話すことがあったら、よく考えてみてください。

話す内容よりも、今、目の前の人にわかりやすく、そして伝わるように話すのが一番大切だということを。すると、顔を見ないで話すなんてとんでもないということがよくわかりますよ。

ここで、他にもよくやってしまうNG行為を書いておきますね。

次のページをご覧ください。

ここ折る

人前で話すときのNG行為

□ 早く終わらせようと、早口になる

聞いている人に反応がないからと、早口にならないでください。聞き取りづらいし、自信がないようにしか見えません。後の「会議編」でも書いていますが、特に偉い人などはそもそも反応はないし、怖い顔をして聞いているものですよ。

□ 話す前や話の途中に「え～と」と言う

「え～と」は、話がつまらないクセに話が長い年配者のイメージがあります。「え～と」が入るだけでつまらなそうな印象を受けてしまうし、はっきり言ってカッコ悪いだけですよ！

□「緊張してまして～～」と相手に同情を求める

緊張していたとしても、「緊張している」とは絶対に言わないでください。そんなのは、聞いている人のことなんか考えずに、自分がラクになりたいだけ。それに、「緊張している」と声に出せば出すほど、ますます緊張していきますよ！

□ 自信がなくて小声になってしまう

プレゼンで声がはっきり聞こえないのは、聞いているほうはつらいだけです。当たり前ですが、大きな声ではっきり話すようにしてください。また、大きな声で話すようにすると、自信があるようにも見えます。

相手の心をつかむポイントはココ！

「プレゼンがうまくなるために大切なことは何だと思いますか？」

こう聞くと、一番にあがってくるのがプレゼンスキルです。

でも、言います——別にプレゼンスキルなんてなくてもいい。もちろん、うまいほうがいいですが、そんなことよりも大切なことは、あなたの話に興味を持ってもらうことです。

興味を持ってもらうためには、プレゼンスキルで上手に話すとか、論理的に話すとか、笑いをとるとか、そんなことではありません。

「この人は、私の気持ちをわかってくれる」

「この人は、私と同じことを考えている」

こう思うから、あなたの話に興味を持つのです。

すると、**あなたの言葉が、「これは、私に向けて話された言葉だ」と思うようになります。**そうなれば、プレゼンスキルとか、あなたの話がおもしろいかどうかと

ここ折る

か関係なしに、あなたの話にくらいついてくるようになるのです。

しかし、一対一で話すわけではありません。多人数を相手に話すわけです。すべての人に興味を持たせるのは難しいと思うかもしれません。

そんなことはありません！　それがこのテクニックです。

どうすればいいかといえば、人には必ず二面性があります。それを活用したらいい。つまり、**ひとつの事柄を相反する両面から話すのです。**

❶「発行部数が減っているから、ここは新しくコンセプトを変えてリニューアルしたほうがいいと思っている人たちもいるでしょう。それとは逆に、部数は減っているが、月刊のファッション誌にしてはまだそれなりの部数を維持しているので、このままの流れで行ったほうがいいと思っている人もいるでしょう。だから、私は次のことを提案するのです――」

❷「今、毎日仕事が楽しくてしょうがない人もいるでしょう。もしかしたら、昔は楽しかったけど、最近、何か仕事を楽しむことができないと悩んでいる人もいるかもしれ

ません。もしかしたら、会社や同僚に不信感を抱き、前みたいに仕事にのめりこめないという人もいるかもしれません。だから、私は言いたいのです！　――今、○○しないと!!」

❸「この話を聞いて、この意見に賛成の人もいるかもしれない。よくぞ言ってくれました、という人もいるかもしれない。ぜんぜん違うよ、っていう人もいるかもしれないし、何を今さら、話にならない！　という人もいるかもしれない。だから――、そんな人たちに私は言いたい！」

ここは大切なので、わかりやすいように3つの例を見てもらいました。相反する両面のことを言っているのがわかりましたでしょうか？

2つめと3つめの例は、二面的なことを言っているのですが、気持ち的にそれぞれ、3つと4つにわけました。こういう話し方をすると、

「**あ、それ、オレのこと言ってるわ！**」

「**そうそう、そう思ってた！**」

などと思うようになります。すると、
「これは、私に向けられた話だ」
「この人は、私の代わりに話してくれている」
と思うようになり、話に興味を持ち、入り込んでくるようになるのです。すると、その後のあなたの提案も受け入れやすくなってきます。

こう文章にすると、「全部の意見を言っているだけじゃん！」と突っ込まれてしまいますが（笑）、聞いている人たちは、あなたが話したことをありのままに聞いているわけではありません。自分の興味があるところだけが記憶に残り、それがあなたのプレゼン全体の印象となるのです。

星占いだって、自分の星座のことしか頭に入らないですよね。セミナー終了後のアンケートを見てもわかるのですが、人によって良いと思ったところがまったく違ったりするのです。

これは、一見シンプルなようですが、**プレゼンでは、奥義と言っていいほど、聞いている人たちの心をつかめるテクニックですよ。**

ただ、気持ちを込めて話さなければいけません。棒読み状態だと、効果は薄くなりますよ。

でも、実際にあなたが『見ている側』で参加者の顔を見れば、どういう気持ちかというのがわかってきます。参加者たちを見て推測できることを、代弁してあげればいい。そうしたら、きっと相手の心は、あなたにグッと近づいてくるはずです！

締めくくりのコツ

プレゼンは「最初の出だし」と「最後のシメ」さえうまくいけば、うまかったように見えます。だから、特に、最初と最後だけは何度も繰り返し練習してください。

どれだけ途中で失敗したとしても、最後だけは**堂々と笑顔で、「一番言いたかったこと」と「聞いてくれたことによる感謝の気持ち」を伝えること。**

「（笑顔で堂々と）繰り返しになりますが、私が一番伝えたかったことは、○○です。本日は本当に――（この〝間(ま)〟に感謝の気持ちを乗せる）――ありがとうございました」

ここ折る

また、途中で失敗したと思うと、そのことばかりが気になるようになるかもしれません。そのことが気になって、焦ってしまうかもしれません。

でも、そんな失敗のことばかり気にしている、あなたの話を聞いている人の身にもなってください。誰が忙しいなか、自分のことばかり考えている人の話を聞きたいでしょうか？　そんな人いませんよね。

もし、途中で失敗したな、と思うようなら、そこから先、少しでも聞いてくれている人に気持ちを向けて話すようにしてください。

何度も言いますが、あなたがどう見られるかが大事なんじゃないです。聞いてくれている人に気持ちを向けることが大切なのです。すると結果として、あなたの評価が上がっていくのです。

これでピタッと止まる！

少しくらい話に詰まっても問題ない。
「相手視点」で、笑顔でスピーチすればうまくいく。

【質問編】

頭が真っ白にならないための話法

実は、私もセミナー講師を始めたころは、質問がとても怖かったです。

なぜかといったら、自分より年上の人が聞いてくるし、なかには私を試すような質問であったり、困らせるような質問を投げかけてくる人たちがいたからです。

たとえば、企業での講演には大概、社長や営業部長などが私を招いてくれます。社長や営業部長は私のことを知っていても、当然、それ以外の方は知りません。

しかも、私が教える接客や営業などは現場主義の世界だから、

「なんで今さら、営業の研修なんか受けなきゃいけないの？」

「は〜？　接客の研修？　こっちはお店で忙しいのに、特に今なんて売上が伸び悩んで困っているのに、どこのどんな先生か知らないけど、そんなの受けてる暇はないんだよ！」

というような、受けたくないオーラをバリバリに発している場合だってあるのです。

そんな雰囲気で始まるセミナーだから、なかには私が話したことに対して、ちょっと嫌な質問をしてみたりとか、困らせる質問をしてみたりする人がいるんです。

昔は若かったから、受講者の方たちのほうが社会経験や、その業界の知識が豊富なんだけれども、「舐められたくない！」「講師として威厳があるように見られたい！」という気持ちがありました。

だから、質問が来ると「どんな質問なのか？」とビクビクしたり、質問が怖いので講演時はあえて質問の時間をつくらなかったりと質問から逃げたりしていました。


もちろん今は、まったくと言っていいほど質問が怖くありません。

それは、『見ている側』になったためです。

もっと言えば、緊張するのは、「自分視点」でものを考えたり行動したりするからであって、**「相手視点」になれば、絶対に緊張しないもの**なのです。

たとえば、セミナー中に質問されたときに、なぜ緊張してしまうかといったら、先ほども言いましたが、「講師としてよく見られたい」「威厳のある風に見られたい」とか、そんなことを考えるから、緊張したり、頭が真っ白になったりするわけなのです。

だいたい、これって自分のことばかりで、質問してくれた相手のことなんかまったく考えていませんよね？

いわゆる「自分視点」なんです。


そこで、たとえば質問を受けたときに、よく相手を見て、

「この人にはどういうふうに説明すればいいだろうか？」

「この質問の裏にはいったい何があるのだろう？」

「相手のモチベーションが上がるためにはどう答えたらいいのだろうか？」

などとその相手にとって一番わかりやすいと思われる言葉で答えてあげる。同じ質問であっても、答える相手によっては、回答は本当にさまざま。これらは相手をよく見て、知ろうとする気持ちがないとできないこと。これが、「相手視点」ということなんです。


そして、**「相手視点」だと何より素晴らしいのは、自ずと一番良い答えが出てくる**ということ。あなたも相手のことを一生懸命考えて答えたことには、「我ながら良いこと、言うな〜」と思ったこともあるのではないでしょうか。

―ここ折る―

相手に考えさせるのも手

基本的に「相手視点」で受ければ、頭が真っ白になることはありません。しかし、緊張しているときに質問を受けたり、突然の質問や嫌な質問を受けると、頭が真っ白になったり、困ったりすることもあるでしょう。

これは私が講師をしていた当初に使っていた『質問切り返しテクニック』です。私も昔は質問が怖かったけれど、何度となくこれで乗り切ってきました（笑）。

ものすごくカンタンです。

質問されたことをそのまま切り返すだけです！

「では逆に質問しますが、あなたはどうお考えなのですか？」

「私がお答えする前にちょっと伺いたいのですが、あなたはどうしたいと思われますか？」

「答えを言うのはカンタンです。あなたはいったいどうしたいのでしょうか？」

そして、相手が考えている間に、質問の答えを考えるのです（笑）。

また、その相手の答えに賛同したり、「答えはあなたのなかにある」と言ってもよいのです。

「それでいいんです！　だってあなたの答えは、あなたのなかにあるのですから」

「私の意見がどうこうではなくて、あなたがどう考えるか、それが重要なんです」

少し汚いテクニックのようですが、この『質問切り返しテクニック』は相手に考えさせるときにも使えます。

また、まったく自分で何も考えようともしないで質問をしてくる人もいます。そのとき、あなたのなかには答えがあっても、相手に考えさせるため、

「では逆に質問しますが、あなたはどうお考えなのですか？」

と聞いてみるのもいいでしょう。

なかには、「それ、僕が訊いたんですけど……」と返してくる人がいます。その場合は次のように言えばいい。

「いや、私ではないのです。あなたがどう思うかが重要なんです！　だからそれを最初に言っていただけないと、私が話す意味がありません」

こうするとおもしろいもので、こちらは『見ている側』に立てて、流れが変わってきます。もちろん、ふつうに答えられることは、きちんと回答することが前提です。

突然の質問の対処法

よく言われる方法ではありますが、突然の質問には次のように答えたらいい。

「それは3つあります――。1つめは〜」


何か話した瞬間に潜在意識は活性化されて、必要な答えが出てくるのです。


「どうしよう？　何か答えなきゃ……」と口を閉じて必死に考えるとますます出てこなくなってしまいます。とにかく何でもいいから話しだすと、言葉が後をついてきます。

人前で突然、「自己紹介してください」と言われたときも、

「いや〜、急に自己紹介してって言われても、話すことないのですが〜」
などと、話していると何かしら出てくるわけです。

これは文章を書くときも同じで、頭のなかで考えているだけではなかなか書けません。でも、思い付いたことなど何でもいいから、ぱーっとパソコンに打ち始めたり、ノートに書き始めていくと言葉が連なってくるのです。

だから、突然の質問には、実際にあなたのなかに答えがあるかないかにかかわらず、

「それは3つあります——。1つめは〜」

と言い放ってしまいましょう。するとその後の言葉が出てくるようになります。

しかし、3つと言っておいて、2つしか出てこなかったらどうするのか？　と思われたかもしれません。そうしたら、次のように回答すればいい。

「それは3つあります——。1つめは、○○です。2つめは、△△です。（ここで3つないのがわかった！）**3つありますとお伝えしましたが、実は本当に大切なことは2つだけなんです**。残りの1つは、今言ってしまうと混乱させてしまう可能性があるので、今は2つだけにしておきましょう」

こう答えれば、おかしくありませんよね？

ここ折る

突然の質問にドギマギしないテクニック

それでは、逆に4つ見つかってしまったら、どうすればいいでしょうか？

「それは3つあります――。――（3つの説明）――。でも実は、もう1つあるのです。みなさんが当たり前すぎて忘れてしまいがちな、4つめは～」

こう堂々と話せば、誰も後からの思い付きで1つ増えただなんて思わないはず（笑）。

さらに、話しているうちに、6つも見つかってしまった場合についても触れておきましょう。

「（3つの説明の後）私ははじめに3つあるとお伝えしました。でも、本当は6つあります。その全部が大事なわけではないんです。この6つのなかでも、先ほどの3つが特に大事なんです。今回はその特に重要なポイントに絞ってお伝えしました」

このように、**すべて話すと冗長になってしまうので全部は話さない**。厳選された回答を得たと、聞いている側にもプラスにとらえてもらえます。

そして最後に、3つあると言ったのに、話してみたら1つしかなかったら――

「（1つめを話した後で）最初に3つあるとお伝えしました。ですが、特に大切なことに絞るとこの1つだけで十分なのです。だから、この1つをしっかり覚えてください」

と切り上げましょう。

念のため、「3つあります」と言ったはいいが、答えがなかなか出てこなかった場合のことをお伝えしておきましょう。基本、このようなことはないと思いますが。

「それは3つあります――。今、どういうふうにお伝えすればわかりやすいか考えているのですが……」

いろいろと回答が頭に浮かんでいるんだけれども、どういうふうに説明するのがあなたに一番良いのか考えているんです、というようにね。

自ずと発した言葉に説得力が加わる大切なことですから、いずれも堂々とした態度が必須です。そのためにも、『見ている側』に立っているか、「相手視点」になっているかを、しっかりと意識しましょう！

深追いされたら、こんな言葉で受けとめよう

あなたが質問に対して一生懸命に説明しても、ときには相手が首を傾げて、一向に理解している様子がないことがあります。一対一ならまだいいですが、大勢の前でだと、「まずいな、自分の説明が悪いのかな？」と焦ってしまうかもしれません。

ここ折る

そういうとき、説明の仕方を工夫しようとする意識も確かに大切ですが、**相手に問題がある場合も多い**のです。

特にあなたがプレゼンや講師の立場のとき、「自分の説明がダメなのかな?」と卑下して萎縮してしまうと、聞いている人が「この人が言っていたことは本当なのだろうか?」と、今までの話さえも真実味が薄れてきてしまいます。

実際、その相手の理解力や想像力が乏しかったり、その相手には相手自身の考えがあって、こちらの話に納得していないということもあります。

また、大勢の前であまり一人に向けてずっと説明していると、他の人があきあきしてきます。だから、最後にこのように言って終わらせる。

「これは、あなたが求めていた答えではないかもしれませんが、私の回答は先ほど申し上げた通りです」

「今この場では納得がいかないかもしれませんが、もう一度、時間をかけてよく考えてみてください。そうすれば、わかるようになるかもしれません」

「それだけ納得いかないということは、あなたにはすでに答えがあるはずです。あなた自身の答えは、あなた自身で導いてください。私の考えは以上の通りです」

ポイントは、自分の主張は崩さず、相手の考えは認めてあげること。理解してもらえないからと自信をなくす必要はないし、**絶対注意しなくてはならないのは、あなたが講師の立場だったらブレないでください。**ブレた瞬間に、今までの話に説得力がなくなってしまいますので。

相手の出方をシミュレーションしよう

質問が怖いようなら、考えられるパターンを準備しておきましょう。

たとえば、クライアントへのプレゼンで、先方が疑問に思うことや突っ込んできそうことをあらかじめ準備しておく。質問を受けたとき、さもそれを察していたかのように、サッと資料でも配布すれば、信頼にもつながるでしょう。

たとえ結果的に使わなかったとしても、しっかり準備をしておけば、自信が持て、堂々と振舞うことができるはずです。聞く側もこういう人なら任せても安心できると思うものです。

繰り返しになりますが、大切なことは、質問者を「よく見る」ということ。

上司、部下、他社の人間、専門知識のない人、理解の速い人、遅い人など、相手によって同じ質問でも求められる回答は異なります。

ですから、十分な下準備プラス、「相手視点」にカスタマイズして回答するということを心に留めておいてください。

これでピタッと止まる!

気の利いた答えが思い浮かばなくてもいい。とにかく言葉をくり出せば頭は高速回転で働きだす。

【会議編】自分の意見をハッキリ伝える話法

まず、会議室には誰よりも一番はじめに入ること。そして、一人ひとり入ってくる様子を見ているだけでも、緊張はしないようになってきます。

遅刻やお茶出しで途中から会議室に入るときって、緊張しますよね？　それは、視線が集まるから、自分が「見られている」と意識するからなんです。

これは、人との待ち合わせにも同じことが言えます。緊張するなら早めに行って、『見ている側』に立てばいい。

しかし、一番はじめに会議室に入れないこともありますよね？　そんなとき、ふつうに会議室へ入ってしまうと、「わっ、偉い人ばっかりだ！」なんて、なおさら緊張してしまう。だから、入ったらまずそこにいる人数を数え、部屋全体を見るようにしてください。すると、『見ている側』になれるので、場の雰囲気に呑まれないで済みます。

気持ちが伝わる話とは

偉い人が同席しているときに発表するのは、特に緊張しますよね。

よく言われる話し方テクニックのひとつに、「声を低く話す」というのがあります。声を低く話せば、緊張しているのがわかり難いし、堂々としているように見える……らしい。

はっきり言いますが、やくざの親分じゃないんだから、止めたほうがいい。あなたがその場で一番偉いならまだわかりますが、低い声だと聞き取りづらいだけ。まわりから見たら迷惑です。しかも、「聞こえないから、もう一回言って」なんて偉い人に言われたら、さらに緊張しちゃいますよ。

声は、大きくはっきり言ったほうが、絶対自信があるように見えます。

私自身、自信があるようによく見られるのですが、それは「声が大きい」ということがひとつの理由。それに、元気良く発言したほうが緊張しているのがわかりづらい上、聞いている相手にも気持ちがいい。だから、発言するときは、いつもの2トーンぐらい大きな声でしゃべるようにしてください。

声のボリュームに気をつけたら、次に意識してほしいのがスピード。普段より少しゆっくりと話しましょう。

緊張している人の話し方は、妙に速いか遅いかのどちらかです。「早くやって終わらせちゃおう!」なんて早口で話しても結局相手には伝わらない。だから、自信があるように少しゆっくりと、そしてはっきりとした口調で話しましょう。

また、自信がない人ほど、

「私は、こうだと思いますます……」

などと語尾がはっきりしていません。語尾に行くにつれて、声が小さくなっていくのです。語尾がしっかりしていないと、あなた自身もあなたの意見にも弱さを感じてしまいます。だから、

「私は、こうだと思います。」

「私の意見は、こうです。」

と「。」まではっきり言いましょう。まとめますと、

「声は、いつもより2トーンぐらい大きな声ではっきりと、少しゆっくりとしたスピードで、最後の語尾までしっかり発言する」

ということです。

上司はつまらなそうに聞いているもの

発言前に緊張してしまうという人は、座っている間、手のひらの心を落ち着かせるツボをずっと押さえておくといいでしょう。

そして、発言するときは、見られていると思うのではなくて、こちらが一人ひとりをよく見て発言することです。何度も言いますが、あなたは『見ている側』なのですからね。

なかにはおもしろくなさそうにあなたの発言を聞いている人がいます。特に偉い人なんてそう（私に言わせれば、話の聞き方を教えたいぐらいです！）。

そのため、自分の発言がいけなかったのかな？　ちょっと的外れだったかな？　とドキドキしてしまうかもしれません。そういったことを考えれば考えるほど、声に自信がなくなり、早く話を終わらせようと早口になってしまいがちになります。

でも、言っておきますが、**つまらなそうな顔はその人の標準スタイルの顔なんです（笑）**。その会社にもよりますが、ほとんどの会社は会議中、みんなつまらなそうにしていますからね。偉い人ほど険しい顔をしていて、見ようによっては怒っている顔にもとれる。

以前、研修後、こんなことを聞かれたことがありました。

「ウチの幹部たちがムスっとしているなか、森下先生はよくあんなに楽しそうに話せますねー」

「だって、あの顔が標準スタイルじゃないですか（笑）」

このように答えたら、その人は妙に納得していたものです。

ですから、発言前にまわりの顔をよく見て確認しておくといい。

「あぁ、今日もつまんなそうな顔してるなー。またいつもの不機嫌な顔をしてるよ」

あなたのせいではなく、そういった聞き方が標準スタイルだと思えばいい。

それにね、会議中、笑顔で聞いてくれる人なんてめったにいません。だから、そういう人がいたら大切にしてほしいし、あなたが人の話を聞く側になったときは、笑顔で話しやすい雰囲気をつくってあげるようにしましょうね。

特にあなたが上の立場になったときは、そうしてください。そのほうが、発言している部下の良さをより引き出せるようになりますよ。

他人の意見を否定せずに、自分の意見を主張するには

たとえば、誰かの意見を否定して、自分の意見を述べるとき、「ＹＥＳ-ＢＵＴ法」がいいとよく言われています。

「そうですね〜」

「確かにその通りだと思います」

「言われていることはよくわかります」

といったんその意見を肯定（ＹＥＳ）して、その後に、

「でも～」

「しかし～」

と自分の主張したい反対意見（BUT）を述べるという方法です。いったん相手の意見を受け入れているため、相手は悪い気はしないというそう。


本当にそうでしょうか？ 私は「でも～（BUT）」が来た瞬間に、「なんだカタチだけかよ！」とつい思ってしまいます。

そもそも「BUT」はその前に言ったフレーズを打ち消し、その後のフレーズを強調するという作用があります。だから、言われた相手は、自分のことを否定された印象しか受けないのです。


もっと気の利いた人なら、「YES-BUT-YES法」がいいと言うかもしれません。先ほどと同様に、いったん「そうですね～」と相手を受け入れて（YES）、その後に「でも～」と反対意見（BUT）を言う。そして、さらにその後、

「あの意見は良かった」

「さすが、いいところに気づいていますね！」

などと相手を肯定したりほめたり（ＹＥＳ）と、最後を肯定で終わらせるという方法です。

確かに、一見良さそうです。接客でも最後の対応が一番相手の印象に残るから、最後には良い印象にしたほうがいいのはわかる。

しかし、これでは意見としては、どっちつかずというか、結果的に何を言いたいのかがよくわからなくなってしまいます。また、嫌われたくないから、自分の意見に近づいてきたという印象を相手にとられてしまうかもしれません。

そこで、相手に否定されたと思われずに、自分の意見を主張できる効果的なテクニックをお伝えします。

それは、**「YES-AND」とつなげていく方法**（「ＹＥＳ-ＡＮＤ法」）です。

「確かにその通りだと思います」

といったんその意見を肯定（ＹＥＳ）して、その後に、

「だから〜」

とつなげ（AND）、自分の主張したい反対意見を続けるのです。

たとえば、相手の意見に対して、

「確かにその方法もいいですよね。**でも、**こうしたほうがいいと思います」

というのはよくやってしまうパターン。そこで、先ほどの「YES-AND法」を使うのです。

「確かにその方法もいいですよね。**だから、**こうしたほうがいいと思います」

言っている内容はまったく同じです。

「でも（BUT）」を「だから（AND）」に変えただけ。

「でも」と聞くと、その時点で否定された気分になります。しかし、「だから」と続くと、後にくる意見は自分を否定している内容であったとしても、どこか肯定されているような錯覚を起こすのです。すると、相手の心に入りやすくなるんです。

たとえば、相手の

「今、新宿店にお金をかけて、新しく改装するべきだ」

という意見に対して、あなたは、

「まず先に、従業員の教育にお金をかけるべきだ」

という相反する考えを持っていたとしましょう。その際に、

「確かに新宿店の改装もいいですよね。**でも、**まず先に従業員の教育にお金をかけたほうがいいと思います」を、

「確かに新宿店の改装もいいですよね。**だから、**まず先に従業員の教育にお金をかけたほうがいいと思います」

に変えるだけでいいのです。


文法的におかしいと思うかもしれません。こうして文章にするとおかしいですが、人の会話とはおかしい文法の連続のようなもの。ふつうに会話として聞いていたら、おかしくなんかありませんよ。一度、自分の会話を録音してみればよくわかるでしょう。私もセミナーの音源をテープ起こしすると、その場では伝わっていたにもかかわらず、文法的にはおかしいことが多々あったりしますから（笑）。

もしかすると、ちょっとしたことだと思うかもしれませんが、人と人との会話はちょっとしたことで争ったり、ちょっとしたことで信頼しあったりするもの。

だからこそ、「YES-AND法」は効果的なのです。

カンタンに使えるので、ぜひ使ってみてください！

ここ折る

たったこれだけで自分の意見を主張できる

「YES-BUT法」

- 「そうですね～」「確かにその通りだと思います」「言われていることはよくわかります」(いったんその意見を肯定)
- 「でも～」「しかし～」(自分の主張したい反対意見を述べる)

※「でも～」と聞いた瞬間に、「自分のことを否定された」という印象を持つ。

「YES-BUT-YES法」

- 「そうですね～」(いったん相手を受け入る)
- 「でも～」(反対意見を言う)
- 「あの意見は良かった」「さすが、いいところに気づいていますね！」(最後に相手を肯定したり、ほめる)

※結果的に何を言いたいのかが相手に伝わらない。最悪、「自分の意見に近づいてきた」という印象にとられてしまうことも。

「YES-AND法」

- 「確かにその通りだと思います」(いったんその意見を肯定する)
- 「だから～」(自分の主張したい反対意見を続ける)

「でも(BUT)」を「だから(AND)」に変えるだけで、相手の心に入りやすくなる！

「自明の理」と思わせる方法

相手から批判されたくない、説得したい、スムーズに了承を得たい。そんなときは、「自明の理」と思わせて話しましょう。

もっともカンタンにできるのが、この方法です。

「みなさん、ご存じだと思いますけど〜」

「みなさんぐらい会社のことを真剣に考えていると既にお気づきだと思いますが〜」

と言った後に通したい自分の意見を続けるのです。

すると相手は、これを否定したら自分が会社のことを考えていないことになる気がして、否定しづらくなるのです。プレゼンなどで使うこともできます。

また、会議の席で誰もが嫌なのは、だらだら話をして、いつまで経っても結論に届かない話です。特に、ちょっとしたことでも英語でしゃべる人、専門用語を頻繁に使う人など、論理思考な人が多い会議では嫌われるでしょう。

ここ折る

よく言われることですが、まず結論から話すようにしてください。その後に、その理由を具体的に説明することです。

「それは～です（結論）。なぜなら、それは～（理由を具体的に説明）」と話すように心がけましょう。

結論から話すと、自信があるようにも見えますよ。

自分の話ばかりしない

人の話も聞かないで、自分の意見ばかり言う人がいますが、相手の話はしっかり聞いてください。当たり前のことですが、できていない人が多いです。

人が緊張するとき、それは、自分のことばかり考えて「自分視点」になっているときです。しっかり相手の話を聞いているとき、理解しようとしているときは、相手をよく見るものです。「相手視点」に立てば、緊張は和らぐし、相手もこちらの話を聞き入れやすくなりますよ。

人が話すときはつまらなそうにしていて、しっかり聞きもしないのに、自分の

意見ばかり言う人なんて誰からも信頼されません。話を聞いてもらえないという気持ちから、反発をも生むでしょう。

自分の反対意見でもしっかり聞く。

そして、相手の考えも理解しようと努力する。

この姿勢が人の信頼を受けるし、その上でたとえあなたが反対意見であっても、発言するとそこに説得力が生まれるようになるのです。

あれこれ考えても損をするだけ

言いたいことがあるのに、発言しようか、やめようかと悩んだことはあなたもあるでしょう。発言したいことがあるなら、恥ずかしいかもしれないけど、発言するべきです。

「あのとき言っておけばよかった……」

「僕が最初に考えていたのに……」

と後悔するならなおさら。

特に、会社やそのチーム、そしてお客さんのことを思っての発言であれば、たとえそれが結果的に受け入れられなかったとしても、断然言ったほうがいい。

「自分がデキるように思われたい」「上司として威厳を保たなきゃ」なんて単なるあなたのアピールならいりませんが、まわりのことを真剣に考えての発言だったら、勇気を出して伝えましょうよ。それに積極的に発言する人を、上の立場の人は気に入る傾向にあります。

もしかしたら、場違いな意見になるかもしれません。でも、**あなたの損得を超えて、会社やチームのため、そしてお客さんのことを真剣に考えた発言は、人の心を打つものがありますし、誰かがきっと見ているもの**ですよ。

これでピタッと止まる！

会話のセンスや度胸は関係ない。偉い人が多いとつい『見られている側』になってしまう。つまらなそうにしている人を探して、『見ている側』になろう。

【面接編】心臓のドキドキがおさまる話法

面接であがらないための方法は、主に2つです。

ひとつは、『徹底的な準備』。

もうひとつは、**あなたの『立ち位置がどこに向いているか』によります。**

よく面接ではあがると言われています。入りたい会社ならなおさらでしょう。

でもそれは、あなたが会社に選んでもらおうと思っているためです。

あなた自身が「自分で会社を選ぶんだ！」と思えば、意識と見る目が変わってきます。

選んでもらうのではないです！　あなたが会社を選ぶんです！　あなたが『選ぶ側』に立つのです!!

これから就職や転職して、その会社で長年、もしかしたら一生過ごすことになるか

ここ折る

もしれません。自分で選ばないで、どうするのでしょうか？　もしくは目標があり、1～2年で辞めようと思っている方もいるかもしれない。だったらより、1～2年だって無駄に過ごしたくはないでしょう。

「入社してみたら思っていたのと違った」などという不満も、自分で選んでいないから出てくる。もちろん、生活のため、お金のため、いろいろな都合があるかもしれない。就職難で「もうどこでもいいから採ってほしい！」と思うかもしれない。しかし、あなたが面接官の立場だったとしたら、そんな動機や下心が丸見えの人を採用したいと思うでしょうか？　一緒に仕事をしたいと思えるでしょうか？

どんなにきれいな人でも、

「私、美人で料理も上手だし、仕事もデキるし、相手に尽くすタイプなの。頭も悪くないわ。ステキでしょ？　今ならカレもいないから、付き合って！　ねぇ、付き合ってよ！」

なんて「選んで」アピールされたら、なんとなく引いちゃいますよね（笑）。

また、むやみに資格ばかりを取得している人がいますが、資格がたくさんあるほど実は引かれてしまいます。

もちろん、目的が明確で、「目標を実現するためにこれらの資格が必要だから取得しました」というのであれば、それはとても素晴らしいと思います。

しかし、**自分のアピールポイントになると思って取得した資格は逆効果。**自分に自信がないから、取れるものを手当たり次第取った、という空気が漂ってしまうのです。そうした動機は面接官にしっかり見抜かれていますよ。もしたくさん取得したのであれば、きちんと理由づけをしましょう。

ですから、あなた自身が会社を選ぶのだと意識を変えてほしいのです。すると、立ち位置が『選ぶ側（見ている側）』に変わって、あがらなくなってくるのです。当然、面接官に媚びたりするような最低の行為もしなくなります。

面接に行ったら、会社の雰囲気、そこで働いている人たちの様子、そして、受付の人や人事の人、面接官を通して、

「自分がこの会社に合うかどうか？」

「本当にこの会社で働きたいと思うか？」

「その会社の人たちは、尊敬できる人たちであるか？」

をよく見ることです。

ここ折る

就職難と言われている時代でも、受かる人は受かっている。あなたの「立ち位置」と「準備次第」なんです。

「でも、僕は大学がよくないから……」

「でも、私は女性だから……」

「でも、オレは学校の成績が良くないし、留年してるから……」

「でも、オレはけっこう年だし……」

などと言う人がいます。このことが自分でハンデだと思っているのでしょう。私はまったくハンデだと思いませんが、もし自分でそう思うなら、そのハンデを乗り越えられるだけの魅力をつければいいだけのこと。そのためには、少しでも早くから、しっかり準備してください。

なかには書類の段階から面接に行けない企業だってあるでしょう。そこは、残念ながらあなたとは縁がなかった会社なのです。

それでもどうしても行きたいのでしたら、熱い想いを込めた手紙を書いたりと、あなたができることをすればいい。非常に難しいですが、それで受かった人もいます。あきらめきれないなら、やってみてもいいかもしれません。

繰り返しになりますが、就職だろうが、転職だろうが、あなたが会社を選ぶんです！　このことを忘れないようにしてくださいね。ただ、『選ぶ側』に立つといっても、偉そうな態度をとることではないので、そこははき違えないでくださいね。

自分のヒストリーを書き出してみよう

当然、面接で聞かれる質問はたいてい予想できると思います。

「自己紹介（自己PR）」と「志望動機」は当たり前だとして、履歴書や応募シートなどに沿っていろいろ聞かれることでしょう。


「あなたの長所（短所）は何ですか？」

「あなたの特技は何ですか？」

「将来のあなたの夢（目標）は何ですか？」

「今まで一番うれしかったこと（悲しかったこと）は何ですか？」

「学生時代にもっとも力を入れたことは何ですか？」

ここ折る

「アルバイトで学んだことはありますか？」
「どのようなサークル（ゼミ）に入っていましたか？」
「あなたが入社したら、当社にどのようなメリットがありますか？」
「あなたは当社の○○について、どのような印象を持っていますか？」
「なぜ同業他社ではなく、当社なのですか？」

代表的なもののみ挙げましたが、このようなことを聞かれるのは、あなたもわかっていることでしょう。なら、徹底的に準備しておくことです。あらかじめ、面接で聞かれる質問を準備しておけば、必要以上にあがらなくなってきます。

面接は、あなた自身を最大限アピールする場であります。それなのに、**自分のことをよく知らないでは話になりません。**

ですから、**「自己分析」をしっかり行なうようにしてください。**

私は大学受験に失敗し、自分の行きたい大学には行けませんでした。だから、就職だけは行きたい会社に行きたい！　と、誰よりも真剣に就職活動を行ないました。

その結果、就職氷河期と言われている時代でしたが、おかげで数社の企業から内定をもらうことができ、当時人気企業ランキングの上位であった第1志望の会社に、見事入社することができたのです。

この勝因は、「自己分析」をしっかり行ない、それに適した「自己紹介」と「志望動機」を言えたためだと思っています。

「自己分析」を初めてしたとき、自分自身のことがよくわかっていなかったと痛感したもの。また、それまで思い出したくもない嫌な体験や失敗体験、自分が苦手な人との体験から、いろんなことを学んでいたこともわかりました。少し面倒かもしれませんが、自分を知る上で「自己分析」は絶対に不可欠です。

「自己分析」をしっかり行なうから、どんな質問が来ても、自分という軸からブレなくなってくるのですよ！

まずは、**あなたの誕生から、今までの「自分のヒストリー」を書いてみましょう。**

その上で、楽しかった出来事や悲しかった出来事、よく覚えている出来事、当時は何に熱中していたか？　どんなことをよく考えていたか？　どんな人（友人、恋人含め）

と付き合っていたか？　そこから何を学んだか？　を思い出して書いてみるといい。人には、どこかで考え方などが大きく変わった時期があると思います。それはどういう出来事の後で、どう変わっていったのか？　も考えてみてください。

そして、あなたの長所や短所は何か？　あなたの強みは何か？　あなたの好きな人はどういうタイプで、苦手な人はどういうタイプなのか？　あなたにはどういう夢があるのか？　将来何がやりたいのか？　何を死ぬまでに達成したいのか？　どういうところだと自分の力を発揮できるのか？　5年後、10年後はどのようになっていたいのか？　やっていて楽しいと思うことは何なのか？　あなたは誰を尊敬していて、結局どういう人になりたいのか？

――などなど、よく考えてみて、ノートなどに書いてみてください。

就職や転職に関係ない人でも、「自己分析」をしたことがない人はやってみることをおすすめします。自分というのがよくわかってきますから。

そもそも、自分のことを知らなくて、どうするのでしょうか？　自分のことがわかっていなくてどうアピールするのでしょうか？

面接を受ける前に、まずは「自己分析」をして、自分のことをよく知ってください。

「わかりません」と言ったっていい！

わからないことを聞かれたり、難しい質問をされると緊張してしまうでしょう。適当に取り繕って話すよりも、わからないなら、

「わかりません！」

と正直に言ったほうが好感を持たれますよ。

私が就職活動をしていたころ、最終面接で、ある上場企業の社長面接を受けました。社長から私に投げられた質問は、

「今の日本の経済状況をどう思うか？」

でした。まったくわからない……（笑）。私の回答は——。

「え、今の日本の経済状況ですね……、申し訳ありませんが、わかりません！」

「キミは、新聞読んでないのかね？」

「まったく読んでないです！　——でも御社が、これからどういうふうに店舗を展開していったらいいかは、生意気かもしれませんがわかります！」

「なんだね？」

私は、就職活動の一環として行なっていた店舗訪問で、直接店長たちから聞いていた、その会社の方向性に少し自分の意見を入れて話しました。すると社長は、

「気に入った！　キミはバカだ！　キミはバカだけど、素直で明るい。今までたくさん面接してきたけど、元気よくわかりません！　と言われたのはこれが初めてだ」

と気に入ってもらい、内定をいただきました。

わからないことは、元気よく「わかりません！」と言っていいと思います。ただ、それで終わらせないで、その後にあなたが話したい会社に対する想いであったり、自分が得意なことを言えばいいのです。

「わかりません！　しかし、現場レベルの接客のことなら何でも聞いてください！」

などね。


また、慣れない言葉を使おうとすればするほど緊張しますよね。

面接において学生言葉はタブーと言われていますが、別に出たっていいんです。もちろん、全部が学生言葉ではダメですが、**気をつけようとしている姿勢があればいい。**

大切なのはそんなことではありません。**あなたの「人間性」や、就職ならあなたの「可能性」やその会社の文化との「相性」、転職ならあなたは何ができるのか？　あなたを採用したら何をもたらしてくれるのか？　という「即戦力」が大切なのですから。**実は企業の面接官はここを見ているのです。

私だって、講師としてみなさんの前で何度となくお話ししたり、「話し方」の本まで書いているのに、学生言葉が思わず出ちゃうときもあります。

学生言葉が出たからといって落とす企業なんてないし、もしそれで落とすようなら大した企業じゃない。だから、本番で出てしまっても焦る必要はまったくないです。

睡眠不足のほうが頭は働く!?

これは面接だけに限らず、プレゼンの前日、デートの前日などはなかなか眠れないものです。あなたも「眠らなきゃいけない、眠らなきゃいけない……」と焦れば焦るほど、眠れなくなることがあるのではないでしょうか？

そして、翌朝、あまり眠れていないと不安になってしまう。いろんな本などで、前日はしっかり睡眠をとるように！　って書かれてますからね。

でも、別に睡眠不足だって構いません。もちろん、まったく眠らないのはまずいですが、3時間も睡眠をとれば十分です。

私も講演があると、ほとんど眠りません。2～3時間睡眠なんてザラです。なかには1時間なんていうのもありました。でも、頭が働かなくなったことなんか一度もありません。**自分で寝てないと思うからいけないのです。**

だって、大切な日が翌日にせまっていれば眠れないのは当たり前です。眠らない日が何日も続いていたら問題ですが、2～3日くらい眠らなくたって問題ありません。


大切な日の前日はよく寝るようにと昔から言われますが、そんなことはありません。それよりも、不安要素を排除するために徹底的に準備したほうがいいと思います。寝てないから、実力が落ちると思うのは思い込みです。

だから、「寝てないから、不安だ」と思ったり、口に出すのはやめてくださいね!!　出せば出すほど、不安な状態になりますよ。

「ヤバイ、寝てない。頭が働かなくなるかもしれない」

ではなく、

「**寝てないわー。だから、頭がよく働くだろう！**」

にしてくださいね。ただ言葉をポジティブに変換しただけですが、本当に働くようになりますから。

自分をアピールするもっとも簡単な方法

これはプレゼンでもそうなのですが、**すべては最初と最後が肝心**なのです。

まず、最初。これは、もう笑顔でのあいさつに限ります！

部屋に入ったら、元気に笑顔であいさつしてください。

面接官は、最初パッと見たときに採るか採らないかを決めているってよく言われていますよね。私も面接官を何度も行なってきたのでよくわかるのですが、それだけ最初の印象は大切だということです。

だから、最初の笑顔でのあいさつは、何度も練習しておいたほうがいいです。

ここ折る

そして、最後は、「質問タイム」と「帰り際のあいさつ」です。

面接の最後、「何か質問はありますか？」とよく聞かれると思います。

このとき、**「特にないです」という答えは絶対ダメ**。一番ダメなのは、何か質問しなきゃいけないと思って、

「福利厚生はどうなってますか？」

と聞いてしまうパターン。言ったとたんに面接官全員はガッカリです。遊ぶことしか考えてないのか？　それが大事なことなのか？　と思われてしまいます。それと、よくあるのが、

「資格取得の補助は出ますか？　またそれはどのようになっていますか？」

そんなこと今聞くことじゃないでしょう！　って思ってしまいます。会社案内などに載っている場合もありますしね。

自分をアピールする最大の場なのに、いくら「自己紹介」や「志望動機」をうまく言えても、台無しです。接客でもそうだけど、最後が一番肝心なポイントなのです。

質問があるなら、もちろん聞いていい。ないなら、たとえば、

「もし私が御社に入社できるとしましたら、どのようなことを勉強しておけばよいでしょうか？」

「もし内定をいただきましたら、インターンシップをすることは可能でしょうか？」

など志望したい気持ちを込めた質問がいい。


「質問タイム」は絶好のアピールポイントなのです！


でも、実は質問である必要はないんですよ。

「質問ではないのですが、最後にどうしても1つだけお伝えしたいことがあります！私、絶対御社に入りたいです！　本日、御社に来て、強く思いました。ですから、どうぞ、あがり克服大学の森下を何卒よろしくお願い致します！　何か選挙演説のようになってしまいましたが（笑）、よろしくお願い致します」

と最大限アピールしたり、

「質問ではないのですが、最後にどうしても1つだけお伝えしたいことがあります！先ほどは上手に説明できませんでしたが、私のウリは〜」

と、うまくできなかったところの挽回に使ってもいい。

「帰り際のあいさつ」は、

「聞いてくださり、本当にありがとうございました！」

と心からの感謝の言葉をいい、部屋を去りましょう。

最後の「質問タイム」は、あなたの最後のアピールをする絶好のチャンスだと忘れないでくださいね。

これでピタッと止まる！

「自分の強み」と「その可能性」、「なぜ、その会社なのか？」を力強く示し、最後まで聞いてくれた感謝の言葉で締めよう。

ここ折る

【リモート編】

画面越しでも印象がよくなる話法

リモート（プレゼン・会議・商談・面接・飲み会）は、つながっている画面を見るため『見ている側』になりやすく、リアルよりは緊張もしにくいでしょう。

リモートでは、実際に会うわけでもなく、会社など相手のテリトリーに出向くわけでもなく、自分の慣れ親しんだ場所で行なうことや、面接の場合など困ったときでもカンペなどを見ることができ、リアルより緊張しにくく、あがり症の人には向いています。

リモートでも相手や参加者たちをよく見ることです。見られていると思われがちな人は、「ギャラリービュー」機能などを使って参加者の顔を小さくたくさん表示すると、『見ている側』になれます。

ここ折る

「大きなあなた」が画面のなかの「小人のような人たち」を見れば、緊張なんかしなくなってくるでしょう。

オンラインは何より準備が大切!!

しかし、リモートではどうしても機械や通信などの突然の不具合が生じ、トラブルが起こりやすいというデメリットがあります。今までも突然のトラブルで、パニックになってしまった人もいるかもしれません。

トラブルが生じないため、また急なトラブルが起きても大丈夫なように、よく言われていることでもありますが、準備の徹底はとても大切です！

①機械やアプリ、マイク、回線の準備

まずは機械やアプリ、マイク、回線などの準備です。

タブレットやスマートフォンを使用するなら、充電をしっかり行なっておく。ZOOMやTeams、チャットワークなどよく使われるオンラインツールのアプリを事

前に入れておき、試しにやっておく。

当日、初めて使うとなると、つながらないとか、音声が届かないとか、カメラの切り替えに戸惑うとか、招待メールがどこかに行ってしまってURLがわからなくなってしまったなどなど、焦れば焦るほどドツボにハマります。

ITが得意な人でも、環境の変化などがあったとき、事前に試さなかったために、相手とつながらず、パニックになってしまったなどの話を聞きます。必ず、事前に試しておくようにしてください。

パソコンで使用する場合は、Webカメラやマイク、イヤホン、もしくはヘッドセットなどをきちんと準備しておきましょう。

パソコンを使われる方は、マイクテストは必ずしておいてください。マイクの音の拾い方は環境によって全然違います。タブレットやスマートフォンの場合は、マイクについてはあまり意識しなくても大丈夫ですが、パソコンを使う場合は、必ずマイクで拾う音のレベルを家族や友人、同僚などと試して調整しておきましょう。

また、オンラインでは回線の異常、延滞が本当によく起こります。きちんとしたW

i-Fi環境で行なう。無線よりも有線でつなげるなど、気をつけましょう。

②事前に話すことの準備

つい緊張しやすい人、口下手な人は、話したい話を言えなかったり、忘れてしまったりします。

最初の雑談から緊張してしまったりすることもあります。

そこで、当日の会議や打ち合わせで話すことを事前に準備しておきましょう。

☑最初の雑談用

自分の緊張を取るためにも、相手と打ち解けるためにも、お互いリラックスした雰囲気のなかリモート会議や商談を進めるためにも、雑談は重要。雑談の話題さえもメモって準備しておきましょう！

相手がＳＮＳで発信しているなら、それをチェックしておくと、雑談のネタには困りません。

(例)「昨日、今話題のあの映画を観ました！」

ここ折る

「（相手のSNSをチェックして）佐久間さんの飼ってるティアラ、めちゃくちゃかわいいですね！　SNSにあがっている写真見ましたよー！」

☑本日の内容

本日の内容について、話さなければならないこと、確認しなければならないこと、目標などきちんと整理しておきましょう。

（例）「クライアントに提出するレポート」についての打ち合わせ
（出席者）永井・垰田・江口・中里・乾・森下
（時間）11月28日　13：30〜15：30（終了時間厳守！）
（内容）以下、内容の確認
・レポート内容
・提示するデータ
・提示してはいけないデータ
・提示するデータの魅せ方
・問題点と解決策

・担当決めと期限

☑共有する資料

共有する資料がある場合は、本番前に必ず事前に確認することです。プライベートの変なものが見られないよう注意が必要です。これ、見られると焦りますよ（笑）。

ある人は、画面共有で見終わった資料を消して、次の資料を開く際、消し忘れていたキャバクラ嬢とイチャイチャしていたＬＩＮＥのトーク画面をお客さまや部下の女性に見られてしまったそう（笑）。しかも、仕事中にＬＩＮＥしていたことがバレてしまったと……。自業自得ですが、事前に確認し、不要なものは消しときましょう。

私物のパソコンを使用している際は、ブックマークに変なものがないかも確認しておきましょう。

（例）「データ情報の共有」

「以前、好評だったレポートの見本」

「提示していいデータの魅せ方のたたき台」

ここ折る

☑質問事項・確認事項

相手や参加者、担当者に質問すること、確認したいことを明記。

（例）「担当者に、決めた期限までに完成できるかの確認」

「できるなら、最大限どこまでできて、最小限どこまでできるのかの確認」

☑次回について

次回の打ち合わせについて、次回の目的や日程を決めるなど。その場ですぐ決められるのもオンラインの魅力です。

（例）次回開催　12月2日　13：30～15：00

③トラブル対応時の準備

急なトラブルが起きてしまうと慌ててしまいます。そこで、慌てないためにも事前準備をしておくことが大切です。

たとえば、回線の異常。トラブルで速度が落ちて映像が途切れた場合、速やかに音声のみに切り替えて、状況を伝えます。相手が話している最中なら、区切りのいいときに伝えましょう。音声が無理なときは、チャットで伝えてもいいです。

それでも無理な場合は、緊急の場合の連絡先を事前に伝えたり、聞いたりしておき、電話やLINEでの連絡をしましょう。

代替案として、スマートフォンなどでテザリングして一時しのぎをするという手もあります。

こちらのトラブルにしろ、相手側のトラブルにしろ、

「通信の調子が悪かったようで申し訳ありませんでした」

とこちらが先に謝ったほうがコミュニケーションにおいてはいいです。相手側に問題があった場合でも、相手の気持ちがラクになります。

また、オンライン商談などでは、こちらに非があったとしても、みな承知してくれていることですので、謝罪し、状況を説明すれば、ほぼわかってもらえます。

ただ、それでも怒られるようなことがある場合は、その主張を素直に受け取ることも大事だと思います。

なぜなら、オンラインツールでのリズムの乱れはかなりのストレスになるからです。

ここ折る

普段からイライラしている人だったら、あなたに非がなかったとしても、あなたのせいにしてくる場合があります。

どちらにしろトラブルが発生したのは事実なので、不可抗力であってもいったん相手の話を素直に聞いてあげ、その主張を尊重することは大事だと思います。こういったときには「文句を言われている」のではなく、「文句を言わせている」と思いましょう。

④部屋の環境や映像の背景の準備

最近のカメラは高性能になっておきており、背景もよく映ります。部屋が映るなら、当たり前ですが、きれいに整理整頓しておく必要がありますし、映ってはマズイものは片づけておきましょう。

汚い部屋、散らかっている部屋は、それだけでだらしない、仕事ができない、信用が置けないというイメージにつながってしまいます。そのためにも、きれいにしておく必要があります。

背景を有効活用しないのは、もったいない！

オンラインをしていると、あまり背景を気にしていない人が多いです。

もちろん、気の合った人たちとの飲み会やどうでもいい会議などではなんでもいいです。しかし、大事な商談や行きたい会社の面接、昇格試験などでは、背景をもっと有効活用してください。

背景というのはとても大切です！

汚い雑居ビルに事務所を構えている弁護士と、丸の内のきれいなオフィスビルに事務所を構えている弁護士なら、どちらのほうが頼れそうですか？

答えは明らかですよね？

弁護士の後ろにある背景（事務所）を感じ、人はその人を印象づけます。

よくテレビに大学教授や専門家なんかが出ると、後ろに分厚い専門書がずらっーと並んでたりしますよね？　なんかわからないけど、権威がありそうだし、頭がよさそうな感じがする。しかし、もし、後ろにアニメやアイドルのポスターとかが貼ってあったり、漫画が並んでいたら、どうでしょう？　権威もガタ落ちじゃないですか？

スポーツ選手だって、まったく知らない人だったとしても、後ろにトロフィーとか賞状がいっぱい飾ってあると、なんかすごそうな感じがするのではないでしょうか？

なぜ、こういった感じになるかといったら、**本人と背景が潜在意識では一体化して認識されるから**です。

だから背景が悪いと、あなたの人となりが良さそうでも、なんとなく信頼できなそうに見えてしまうのです、逆に背景が良いと、印象が普通だったとしても良い印象を与えることができる。

部屋をきれいにしているのは当然として、背景をもっと意識してください。

たとえば、頭がいいことを印象づけたいなら、難しそうな本をずらーと並べておくとか、清潔感や誠実さ、真面目さを出したいなら、白い壁にするとか。行動力があるのを見せたいのなら、あちこち旅行に行った写真を並べておくとか、富士山の山頂での写真を飾っておくとか。気難しそうに見えるなら、ちょっとかわいいぬいぐるみを置くなどするといいかもしれません。

また、画面が暗いと背景や顔色も悪く見え印象が悪くなります。

リモートをしていると暗い画面の人をよく見かけます。部屋や顔色を明るくするためにも、明るくよく光る撮影用のリングライトも安く売っていますので、ひとつは買っておいたほうがいいです。

照明は一般的に3色あります。温かみのあるオレンジっぽい色合いの「電球色」。太陽の明るさにもっとも近い、自然な光の色合いの「昼白色」。もっとも明るい、白っぽく青みがかった色合いの「昼光色」です。

基本的に、オンラインでは自然な色合いの「昼白色」が適しています。リングライトの色も「昼白色」にすると、顔がきれいに映ります。ただ、飲み会や打ち解けた会議などでは、リラックスした雰囲気のある「電球色」でもいいと思います。「昼光色」は青みがかり顔色が悪く見えるので、注意してください。

ここ折る

バーチャル背景で遊べば、もっと話が弾む！

会社や商談相手にもよりますが、基本的に就職や転職の面接、塾や学校の先生との面談、動きのあるプレゼンテーション以外などでは、個人的にはZOOMのバーチャル背景は使用してもいいと思います。

ただ、背景を有効に活用したい場合は、絶対リアルです。たとえば、難しい本が並んだ本棚のバーチャル背景の前では、権威あるようには見えません。逆にウソくさくなります。ギャグとして使用するならいいでしょう。

むしろバーチャル背景は、コミュニケーションの一貫として使用するのがいいと思います。**相手がツッコミたくなるバーチャル背景を使用すれば、最初の雑談が弾みます。**どうせ仕事をするなら、おもしろい人とやりたいものです。

どうしてもリモートになってから、雑談が盛り上がらず、いいアイディアが浮かんでこなくなったり、コミュニケーションが希薄になっていったりします。

そんなとき、おもしろいバーチャル背景を使用すれば、楽しくなります。

私の友人の上司は、会議や打ち合わせの際、毎回バーチャル背景を変えて参加するそうです。しかも、自分が人気アイドルグループ「嵐」の一員になったような背景や、人気ゲームソフト「どうぶつの森」のシーンの背景とかを使って、必ず会話のきっかけになる工夫をしているそうです。

あなたが真面目な人であればあるほど、そういった遊び心のある背景を使えば、ほかの人も会話のきっかけになるでしょう。すると笑顔も出て、お互い緊張せず、いいコミュニケーションができて、アイディアが豊富に出てくる打ち合わせができるかと思います。

オンライン飲み会では、ぜひおもしろいバーチャル背景やＬＩＮＥ動画のエフェクト機能（自分の顔が加工され、うさぎの耳や鼻が出てくるなど！）を使って、盛り上げていってください。

ただ、バーチャル背景の場合、動きがあると背景が途切れ、実際の部屋が映ってしまう場合があります。ある人がバーチャル背景を使用して、ちょっとしたダイエット体操法を教えていたとき、腕をまわして動かすたびに、バーチャル背景が途切れ、実際の部屋の散乱とした様子が丸見えでした。本人は気づいていないようでしたが、こういったこともありますので、気をつけましょう。

しっかりとしたプレゼンなどでは手振り身振りを使うと思いますので、バーチャル背景でないほうがいいでしょう。

リモートでは3つのことにより気をつけよう！

リモート（プレゼン・会議・商談・面接・飲み会）は、『見ている側』になりやすく、リアルよりは緊張しにくいので、あがり症の方には向いているとお伝えしました。

その通りなのですが、リアルよりも明らかに難しいことがあります。

それは、**コミュニケーションを取ることが難しい**ってことです!!

うまく話せなかったり、話したことが相手に伝わりにくかったり、話していても相手の反応がわかりづらい。また、相手の話していることが聞き取りにくかったり、相手に意見を言うタイミングがわかりづらかったりします。

どうしても、相手との肌で感じる温度感がわからないため、やりづらさがあります。参加人数が増えるほど、やりづらさも増すでしょう。

なかには、きちんとリモート会議に参加していたにもかかわらず、「ちゃんと聞いているのか？」とか、「もっと積極的に参加しろ！」など、指摘や注意を受けた人もいるかもしれません。それは、ふつうに参加しているつもりでも、表情が無表情であったり、カメラ位置が悪いのか、資料をずっと見ているのかわかりませんが、目線がずっと落ちていたりするためです。

そのため、リモートは、リアルよりも次の3つのことに気をつける必要があります。当たり前のことだと思う方もいるでしょうが、当たり前のこととバカにせず、「きちんと自分はできているか？」と確認してください。

①目線に気をつけよう！「相手に伝わる目線のかけ方」

どうしても伝える相手が目の前にいないため、つい画面に写っている相手の反応に目がいってしまいがちです。

しかし、画面を見て話すと、どうしても目線は下になって見えてしまいます。

目線を上げてカメラのレンズに向かって話す必要があり、**カメラ位置を事前に確認しておく必要があります。**

話す際は相手を画面で確認しながらも、**ときにはカメラを見て話すというのを忘れないようにしましょう。とくに大切なことを話す際、これだけは相手に伝えたい！　ということを話す際は、必ずカメラを見て話すようにしてください。**

その際、「伝えたいたった1人の人」や「自分にとって大切な人」を思い浮かべながら話すようにすると、想いが刺さるように伝わります。

たとえば、**カメラの後ろに、大好きな子どもの写真を飾るなどして語りかければ、慈愛に溢れたメッセージになるでしょう。**

自分の成し遂げたことや自信のあること（賞状やトロフィー、企画書、写真など、スポーツや仕事での成功がわかるもの）をカメラの後ろの見えるところに置いてもいいです。それを感じながら話せば、自信のあるメッセージにもなります。

このように、リモートではカメラの後ろに置くものを工夫すると、自分の力を発揮できたり、想いが伝わる伝え方ができたりします。

資料ばかり見ていると目線が下がり、いい印象にならないことにも注意が必要です。

大勢の前で話さないといけない人は、画面の真んなかにカメラを持ってきてもいいです。

オンライン面接などではリアルと違い、カンペを準備することができ、緊張しやすい人でも話が飛ぶ心配はありません。しかし、ずっと下を見ていると、カンペを読んでいるのがバレバレですので、画面の横などに貼るなどがいいです。

カンペは文章だと、やはり気持ちが入りません。読んでいる感じを受けてしまうのです。箇条書きにしておき、気持ちを込めて話しましょう。

②表情に気をつけよう！「どんなときも笑顔になる方法」

オンラインでは相手の表情がよく見えます。しかし、**逆に言うと、相手からもあなたの表情がよく見えるということです。**

そのため、**無表情で聞いていると、悪目立ちしてしまうのです。**相手からは冷たく感じ、悪い印象にも受け取られてしまいます。

だから、リアル以上に笑顔で聞く、リアクションをつけて聞くなどが必要になります。もちろん、話の内容にもよりますが。

話す際も淡々と話すと、オンラインでは冷たい印象を受けてしまいます。笑顔で話す、リアル以上に感情を込めて話すことが必要になってくるのです。

口角を上げて話したり、聞くようにしてください。

口角を上げて話すと、相手から見ると好印象につながります。

先ほどもお伝えしましたが、カメラの後ろに子どもの写真とか、大好きなペットやアイドルの写真を貼って、それに向かって話すようにすると、自然な笑顔にもなるし、笑顔になれれば、声のトーンもよくなります。

笑顔のポイントは、口角を上げ、歯を見せることです。

歯を見せないと、相手には笑顔が伝わりにくいです。リアルでもそうなのですから、オンラインだともっと伝わりません。

歯並びが悪いことなどを気にして笑顔を見せたくない、って人もいるでしょう。私も昔はそうだったので気持ちはわかるのですが、それでも思いきって歯を見せて笑顔になったほうがいいです。相手は他人の歯並びなんてたいして気にしていないし、笑顔を出せば出すほど、相手やまわりから好感をもたれるようになりますよ。

あと、朝の眠いときでも、つらく悲しいときでも、なかなか笑顔が出せない！というときでも、発するだけで**「笑顔に見える魔法の言葉」**がありますので、お伝えしておきますね。

それは**「ワイキキ」**です！

「キ」を発する際がポイントなのですが、「キ」をしっかり発すると口角が大きく開き、笑顔のように見えちゃうのです。言葉の響きや連想するイメージもいいですしね。

ですので、リモート会議や商談などの前に「ワイキキ」「ワイキキ」と発声練習しておくと、いい笑顔でスタートをきれるようになります。

③声に気をつけよう！「オンラインで話す際の注意点」

オンラインで話が聞き取れないのは、あなたも感じたことがあるでしょうが、思っている以上にストレスになります。そのため、**リアルで話すよりも、大きな声で、少しゆっくり、語尾まではっきり話すというのがポイント**です。

通信環境が違うので、最初は間をしっかり取りながら話すのがいいでしょう。

それから状況を見て話していきましょう。

もし相手に聞こえているか、不安になった場合は、

「私の声は、きちんと聞こえていますか？」

と確認するようにしてください。

また、「え〜と〜」「あの〜」「〜とか〜」などの言葉は、リアル以上にオンラインだとすごく気になります。

相手からよく見られているぶん、「身体がずっと揺れている」「腕組みして聞いている」「髪の毛をちょこちょこ触りながら話す」「舌なめずりを何度もする」「額やあごを何度も触りながら話す」などの動きも気になります。

たまにやるのならおかしくありません。もちろんリラックスして受けていただきたいのですが、無駄な言葉や動きを連発するのはやめましょう。

こういった言葉や動きは日頃から起きているからこそ出るものなので、せっかくですのでこれを機に、直しましょう。友人らとオンライン飲み会などをして、「へんなクセがないか？」を聞いてみて、指摘されたら意識して直すといいです。きちんと意識すれば、直せるようになります。

さて、3つのことをお伝えしましたが、どちらにしろ、オンラインでのやりとりはいろいろなシチュエーションがありそれぞれ環境が異なる、ということを忘れないでください。

しかも**リアルよりも、インフラに左右されやすいので、より一歩相手を尊重するという気持ちを持ったほうがいい**と思います。

インフラはパソコンのスペック、回線の状況、自宅なのか出先なのか、周囲の環境全般です。だからこそ、**リアル（実際に会っている）以上に相手に気持ちを向けて、相手が話しやすい状態、聞き取りやすい（情報を受け取りやすい）状態、わかり**

やすく伝えるための努力をしなければいけないと思います。

オンラインでもすぐに心がつながるテクニック

オンラインだから、機械的にはつながっても、心がつながりにくい。

やはり、商談や会議、打ち合わせなど、どれだけ相手と心がつながったか、どれだけお互い打ち解けているかで、うまくいくかいかないかが決まります。

そこで、オンラインでも「すぐに心がつながるテクニック」を2つお伝えします。

まずひとつは――

オンライン上で相手の顔が見えた瞬間（機械的に相手とつながった瞬間）、満面な笑顔で手を振るということ。

音声もすぐにつながれば、

「（うれしそうに笑顔で手を振りながら）わ〜、渡辺さん、こんにちは〜！」

「（うれしそうに笑顔で手を振りながら）お〜、渡辺さん、会いたかったです！」

などとあいさつしてもいいでしょう。

ちょっと恥ずかしいかもしれませんが、一瞬で心がつながりますよ。

実はコレ、接客で「もっともカンタンに常連客にするテクニック」なんです！

以前に担当したお客さんやよく知っているお客さんが来たら、次のような対応をするのです。

お客さんがお店に入ってきた瞬間、もしくはお客さんを見た瞬間に、最高の笑顔であいさつするのです！

私は何度も使ってきたのですが、たったこれだけで、常連客になっていきます。

「え？　こんなんで常連客になるのか？」

と思ったかもしれませんが、これがなるのですよ！

なぜなら、**お客さんがお店に入った瞬間、顔を合わせた瞬間に、本当にうれしそうな笑顔であいさつされると、お客さんはそのお店が『自分の居場所』だと思うようになるからなんです。**

今の世の中、「自分の居場所がないな」と感じている人は本当に多いです。だから、本当にうれしそうな笑顔でお客さんを迎えると、お客さんは自分を受け入れてくれていると感じ、安心するし、そのお店が『自分の居場所』だと感じるようになるのです。すると、価格とか立地とか競合店とかを超えて、お客さんはそのお店を選んでくれるようになるのです。

オンラインのコミュニケーションでも同じです。**自分のことを本当にうれしそうな笑顔で受け入れてもらえると、許容してもらえていると思い、うれしくなるのです。**

できたら、何度か会ったことのある人が望ましいですが、初対面でもメールで何度かやり取りしていたり、SNSでつながっていたりする場合でもいいですよ。

年の離れた目上の人だと難しいと思うかもしれませんが、やってみると意外と受け入れてもらえるものです。

ただ、相手は結構反応が薄い場合もあります。それは急に笑顔で手を振られたりすると、慣れていないぶん驚きもあるし、照れなどもあるからです。

でも、経験的に言って喜ばれますし、次回やその次ぐらいになると、相手も手を振っ

ーここ折るー

てくれたりするようになる場合もあります。

ポイントは、顔が会った瞬間、機械でつながった瞬間ですからね！

なるべく大げさなぐらいが、相手にも伝わりやすいし、笑顔にもなるから、緊張も取れますよ！

もっとカンタンに、相手とすぐに心がつながるテクニック

笑顔で手を振ることに抵抗がある人もいるかもしれません。効果は高いので、ぜひやっていただきたいのですが、そんな人でも、もっとカンタンにできるテクニックがあります。

それは、**相手とつながっていると思う**ことです。

たったこれだけ（笑）。これならカンタンですよね？

もっと具体的にお伝えしますと、**目の前の相手と握手している肌感覚を持つ**のです。

握手しながら話すなんて、そうとう心がつながっている証拠です。リアルな場面でもずっとお互い手を取り合って、話し続けるなんてまずありません。とくに、ソーシャルディスタンスが言われている時代にはありえないでしょう。

でも、そんな時代でも手を触れながらずっと話している。そんな雰囲気だから、相手にもそれが伝わって、相手と心がつながるようになるのです。

なぜなら、潜在意識は実際に握手しているかどうかはわかりません。**「実際に握手している感触」と「イメージの中で握手している感触」との区別がつかないのです。**

だから**潜在意識は「ずっと手を触れたまま話せる関係なんだな」と解釈します。**

すると、そんな関係だから緊張感が和らぎ、リラックスして、相手を受け入れている状態になる。そうなると、相手にもそれが伝わって、同じように自分のことを受け入れてくれるようになるのです。

「本当かよ？」

と思われた方がいると思いますが、あなたが思っている以上に、効果が高いです。

何度もお伝えしていますが、人間関係は鏡写しです。相手が心を開けば、あなたも心を開くはず。同じように、あなたが心を開けば、相手も心を開くようになります。

ただ、ちゃんとリアルに握手している感触を持ってくださいね。相手の手の温もりをイメージしたり、握った肌感触を感じたりするのがポイントです。

そして、**実際に握手している肌感覚を持ったなら、もう心はつながったと思ってください。**

「本当につながったかな？」と思うのではなく、「相手と心がつながっている」と信じることです。信じたら、忘れてしまっても構いません。その間も潜在意識はずっと動いていますから、安心してください。

オンラインでの商談は、雑談で決まる！

さて、ここで2つほど、オンライン商談における潜在意識を活用した「スゴ技営業テクニック」をお伝えしておきましょう。

緊張のためなのか、相手のことがまったく見えていないのか、すぐに商談に入ってしまう人がいます。

お互いに緊張して、言うならば関係が温まらないなか、商談をはじめることになってしまいます。これではうまくいくものもいかなくなってしまいます。

とくにオンラインでの商談は、リアルよりも肌で感じる温度感がわからなく、心もつながりにくいぶん、雑談はリアルよりも長めにとったほうがいいでしょう。

雑談で話す内容は事前に準備しておいてもいいと思います。相手が自宅ならまずはインテリアや背景に映る何かをほめてもいいです。


さて、ここからが本題なのですが――

雑談の時間をたんなる雑談や世間話と思っていたら、もったいないですよ!!

なぜなら、この雑談や世間話をしているときは、相手も気が緩んでいます。商談相手もあなたのことを警戒していない。人は誰だって、

「ところで……」とか
「本日、お時間いただいたのは……」

とビジネスの話になると身構えます。あなたの話にも警戒するようになります。

あなただって、そうではないでしょうか？

営業マンと話していて、「いざ、商談スタート！」となると、

「口車に乗せられちゃいけないぞ！」

「本当にこれはいい商品なのか？」

「ここで購入するのが、本当にいいのか？」

などと警戒するのではないでしょうか。

でも、雑談中であれば、相手も警戒していない。このときが最大のチャンスなんです！

しかもリモートだと実際に対面していないし、自宅など慣れた場所ということもあって、雑談タイムはより気が緩みやすい。

だから、**この雑談で気が緩んでいる時間に、あなたが本当に伝えたいメッセージを相手に挿れるのです！**

たとえば、雑談中に次のように話す。

「いや〜、昨日、久々にオンライン飲み会で飲みすぎてしまって……、今はもちろん大丈夫なのですが、久々に朝、恥ずかしながら二日酔いになってしまいました……。

先々月、お宅が完成したお客さまと、オンラインの飲み会をしまして、その奥さまが非常に喜んでくださっていて、も〜お話を聞いていたら、私もうれしくなっちゃって、久々にすごい飲み過ぎちゃいました〜。赤ワイン、一人で1本空けてしまって……」

わかりましたでしょうか？

「お客さま家族とオンライン飲み会をするぐらいに、私は信頼されている」

「お客さまからこんな喜びの声をいただいている」

「家を建てた後もフォローしている」

っていうのを挿れているのです。

商談中に

「私は今まで担当したお客さまから信頼されている」

「お客さまから、こんな喜びの声をもらった」

「家を立てた後もフォローしますよ」

と言っても、相手にはセールストークにしか聞こえないでしょう。**雑談中だから、何の反発もなく、相手の潜在意識に深い印象を与えることができるのです。**

本当に伝えたいメッセージは、雑談のなかに盛り込んでメッセージしてください。

大切なことは、お客さまの口から言わせよう

商談で、商品やサービスの説明をしたら、本当にこの良さをわかってもらえたのか？　興味を持ってもらえたのか？　不安だと思います。

とくにオンライン商談だとそうでしょう。

これはリアルでも使えるテクニックなのですが、相手の口から説明させましょう。

たとえば、あなたはお客さまに「モリハイム」という商品を提案した。

商談中、「モリハイム」の説明をした。もちろんその良さや、「なぜ、私がモリハイムをお客さまに自信を持ってお勧めできるのか」などを、心を込めて説明することが

大切です。

そして、多くの人は説明したら、

「何か質問はございませんか？」

「何かわかりにくかったところはございませんか？」

「どうぞ、ご検討ください」

なんかで終わってしまう。

これではもったいない!!

説明した後、お客さまに次のように聞いてみるのです。

「『モリハイム』の良さは、どのへんだと感じましたか？」

「『モリハイム』のどういったところに、興味をもたれましたか？」

このように聞けば、お客さまは自分の口でその良さや興味を持ったところを言うようになります。

でも、それは**あなたが説明したことを、お客さまが暗唱しているだけなのです。**

ここからが大切なのですが――

ここ折る

お客さまが自分の口で言うことで、あたかも自分の考えを言っているような感じになるのです。

自分の口から利点を言うことによって、まるで自分が考えたかのような錯覚を受けるのです。

すると、今まで興味がなかったものに興味が出てくる。

少し良いなと思っていたことが、より良く感じてくる。

「おもしろい！」と口に出して言っていると、本当に「おもしろくなってくる」のと同じこと。相手にわかってほしい、納得させたいところは、相手の口から言わせることがポイントです。

退室時は速やかに！

さて、「リモート編」の最後に、退室についてお伝えします。なかなか退室のタイミングがつかめない！　って方もいるかと思いますが、リモートでは商談にしろ、会議にしろ、打ち合わせにしろ、だらだらオンライン状態でいないことが大事です。

なんせ、間が取りづらいのがオンラインなので、終わったらしっかり
「本日はありがとうございました！」

「本日はありがとうございました！　おかげさまで良いお打ち合わせができました。今後ともよろしくお願いいたします！」

「（満面な笑顔で手を振りながら）ありがとうございました！　またお願いします！」

などとお礼のあいさつをしたら、すぐ退室することが大事です。

ビジネスマナー的には立場が上の人からの退室が望ましいですが、オンラインの場合はあまり気にせず、きちんとあいさつさえすれば、ささっと退室してかまいません。

これ、ダラダラすると意外とお互いストレスになります。

電話の場合と違って待つ必要はありません。

終わったらあいさつして、速やかに退室しましょう！


これでピタッと止まる！

画面越しの遠く離れた相手だって、イメージのなかで握手すれば、お互いリラックスし、心だってつながる。

【恋愛編】
「また会いたい」と思わせる話法

ビジネスでなければ、デートであれ、合コンであれ、社内の休憩室の会話であれ、異性の前では緊張してもいいと思います。

もちろん、緊張しすぎはどうかと思いますが（別に悪くないですが、相手が思う以上に自分の気がよくないでしょう）、ある程度はあがっていたほうが、男性、女性問わず魅力的に見えるものです。

ドラマでもありますが、いつもは仕事のデキる男性やいかにも男らしい人が、女性の前だと顔が赤くなったり、照れちゃったりしたら、より魅力的に思えませんか？

美人で知的な女性が、ふとしたことで顔が赤くなったりすると、親近感が湧くし、かわいいなぁって思ってしまいますよね。全部がデキすぎるのって恐いし、恋愛においては、少し緊張したり、照れるぐらいがいいかと思います。

たとえば、異性の前で手が震えちゃったりすると恥ずかしい。でも、相手から見たら人間らしくて魅力的に見えると思いますよ。

それに、それでフラれる人なんてそうはいないはず。それぐらいでフる人だったら、そんなにいい人だとは思わないし、もし付き合えたとしてもうまくいくとは思えません。

ただ、異性にまったく慣れていなくて、緊張のあまりほとんど話せないという人は、トレーニングする必要があります。そのもっともカンタンにできるトレーニング方法は、94ページでお伝えしたように道を尋ねること。これを同世代の異性限定でしてみてください。

本当にモテる人が持っているもの

緊張するのはいいですが、自分のことばかり考えないでほしい。33ページに高級レストランで緊張してしまったときの例を書きましたが、自分のことよりも、相手に気持ちを向けていただきたいのです。

ーここ折るー

どういう人が本当にモテるかといえば、これは自信を持って言えるのですが、「カッコイイ」「美人」「イケメン」「オシャレ」「スタイルがいい」「お金持ち」「人気の職業」「高学歴」「年収がいい」とか、そんなこと関係ないと思います。関係ないと言ったら語弊はあるかもしれないけど、そんなことよりも、もっと大事なことがあります。

それは、**相手――その人自身を大切にすること**です。

自分のことを何より大切にしてくれる人には、誰だって好意を抱きます。

最初はあなたのこと、タイプではないかもしれない。恋愛対象としては見てくれないかもしれない。でも、自分のことを何より大切にしてくれるその姿に人は心を打たれるし、だんだん惹かれていくようになるのです。

そのためには、相手の話を一生懸命聞いたり、相手を大切にするという姿勢を持ってほしいし、相手のハッピーが自分のハッピーなんだと思うぐらいになってほしいのです。

ここで、よくやってしまいがちなNG行為を次ページに書いておきますね。

□ 相手に好意のある素振りを見せない

恥ずかしがったり、傷つくことの恐れから、好意のある素振りを見せない人がいますがこれは絶対にダメ！　相手があなたにいくら好意があったとしても、相手だって傷つきたくないからあなたへの好意を隠してしまうかもしれませんよ。

□ 予定通りうまくいかない自分を責めてしまう

うまくいかないことも多いでしょう。でも、目の前に相手がいるのに自分を責めたりしないでください。そうすると、相手は自分といてつまらないのかな？　などと思ってしまいますよ。自分のことなんかよりも、目の前の相手に心を向けてくださいね。

ここ折る

異性との会話でのNG行為

□緊張して相手の話が上の空になってしまう

大切なことは、あなたが緊張していないように見せることでもないし、次に何を話そうか考えることでもありません。目の前の相手の話をしっかり聞いてあげることだし、相手をハッピーな気分にしてあげることです。

□自分の仕事の話や自慢話など、自分の話ばかりになってしまう

自己開示をすることはとても重要なことですが、自分の話ばかりだと相手もつまらないでしょう。相手の話も聞いてあげてほしいし、相手に気持ちを向けてください。

□カッコつけて不慣れなレストランを予約してしまう

無理にカッコつけて慣れないレストランを予約しても、より緊張するだけですよ。相手だって緊張してしまうかもしれない。相手が好きなお店や、あなたらしいお店でいいのではないでしょうか。

7回ほめると「真実」になる！

人のことは絶対にほめたほうがいい。誰だってほめられたら、うれしいもの。**モテる人に共通する特徴は、間違いなくほめ上手です。**

ほめられることに慣れていない日本人はほめられるとどう受け取っていいのかわからなくて、照れてしまったり、素直にうれしさを表現できないかもしれません。しかし、内心はうれしいと思っているもの。

あなただって、会うたびにほめてくれたら、うれしいし、自信もつくし、その人にまた会いたくなりませんか？　そうすれば、恋愛に発展する可能性は十分高いですよ。

だから、どんどんほめましょう！

今の時代、孤独感を感じていたり、自分の居場所を求めている人たちはたくさんいます。**誰かにわかってもらいたい、認めてもらいたい、自分のことを理解してほしい、そう思っている人たちがたくさんいるのです。**もしかしたら、あなたもそうかもしれません。

その心を満たしてあげるためにカンタンにできて、伝わりやすい方法が、ほめることです。

実はほめることは、相手をわかってあげたり、認めてあげたり、相手の居場所をつくってあげることでもあるのですよ！


それでは、どこをほめればいいのか？

あなたがいいと思ったところなら、どこでもいい。大切なのはどこをほめるかということよりも、あなたが思ったことを気持ちを込めてほめるということなのですから。

会うたびにほめたらいいとお伝えしました。このときに、同じことをほめるのが嫌だからと、毎回違うことをほめようとする人がいますが、そんなことはしなくていいです。

会うたびに同じところをほめればいい。たとえば、

「目がきれい。性格の良さが目に滲み出てるよね！」

ってほめたら、会うたびに、

ここ折る

「目がきれい」とか、
「やっぱ目がいいよね！」とか、
「ホント、性格の良さが目に出てるよね！」
とかほめればいい。
あなたがほめればほめるほど、真実味が増していくのです。ほめられた相手も最初は「お世辞かな？」と思っても、何度もほめられるとどんなことでも「そうかな？」というふうに思ってきます。

私は経験上、**どんなほめ言葉でも7回ほめれば真実味が出てくる**と確信しています。

ちなみに、この7回というのは、1日に7回ではなく、7回会うたびに、ということです。

自信がなかったことでも、7回ほめられると自信がついてきたりもする。相手に自信をつけさせてあげる方法でもあります。

また、他のことをほめるとしたら、「目がきれい」にプラスして、たとえば女性になら、ちょっとした変化をほめてあげるといいでしょう。

「ホント目がきれいだよね！　あ、髪形変えたでしょ？　よりかわいくなったね！」などね。このようにほめていくと、相手は気づいてくれたことや、自分のことをいつも見てくれていることに喜んでくれるでしょうね。

相手のほうから近づいてくる『魔法の質問』

誰でも人には、「人からこう思われたい、こう見られたいという願望」があります。

意中の相手のそこがわかれば、相手からは「この人は、本当の自分をわかってくれる」と思わせることができます。

しかし、「人からどういうふうに見られたいですか？」なんて聞いても、正直には答えてくれません。答えてくれたとしても、オブラートに包んだ答えで、本当に見られたい姿なんて人には言わないものです。

しかし、**『魔法の質問』をすれば、相手に気づかれずに一発で相手のその願望があらわになってしまう**のです。しかも、超カンタンにできる質問です。

ここ折る

それは、**好きな同性の芸能人を聞くだけ！**

本当に超カンタンでしょ？（笑）

「みゆきちゃんって、好きな芸能人って誰かな？」

「好きな芸能人？　う～ん、じゃ、嵐の櫻井翔くん！」

「じゃぁ、って何（笑）。でも、櫻井翔くんっていいよね～。ところで、櫻井くんのどういうところがいいの？」

「そうね～、あのインテリっぷりといい、なんだろう……。自然体なんだけど、それでいて、前に出たときにはオーラが出るみたいな！」

「確かに!!　ボクもテレビ観てて思ったんだけど、ぜんぜんつくってない自然体なのに、オーラがすごいよね！」

「うん、うん、うん！　それに内面の心のきれいさが外に出てるし！」

「確かに、心のやさしさっていうか、きれいさが顔に滲み出てるよね～」

「そうそう、あのなんかちょっとスウィートなフェイスが最高なの！（笑）」

「スウィートなフェイスって……（笑）。確かにそうだけど……、みゆきちゃん、お

ここ折る

相手の「そう見てほしい願望」が あらわになる魔法の質問

もしろいこと言うよね！　あ、ところで、女性の芸能人だったら、誰が好き？」

「う〜ん、中谷美紀さんかな？」

「中谷美紀か〜、いいよね〜。どういうところが好きなの？」

「あの人は、きれいなだけでなく、自分にすーごい厳しい人だと思うんですよ、うん」

「あ〜、そうなんだ〜。そう言われてみたら、そうかもね〜」

「演技するのと、自分磨くのと、あと人に対する気遣いが素晴らしいのと……」

「そうなんだ……」

このように、同性の好きな芸能人を聞

きます。

でも、本当は好きな芸能人が誰かなんてどうでもいいのです。

その理由が大切なんです！

その理由が先ほどお伝えした、「人からこう思われたい、こう見られたいという願望」なんです。

この例の場合は、中谷美紀さんが好きで、その理由は、

「きれいなだけでなく、自分にすーごい厳しい人」

「演技するのと、自分を磨くのと、あと人に対する気遣いが素晴らしい」

と言っている。だから、それをそのままほめればいい。すると、

「この人は、自分のことをわかってくれている」

「この人だけは、自分の本当の姿を見てくれている」

と思うわけなんです。——と言っても、聞いた後すぐにほめても、いかにも今聞いたから、お世辞で言っているって感じですよね？

だから、少し時間が経ってからでないといけない。たとえば、別れ際に伝えたり、もっと効果的なのは、**別れた後のメールで送ったり、次に会ったときに伝えたりとか、好きな芸能人の話をしたことなんか忘れたときにほめる**のです。

「みゆきちゃんって、きれいなだけでなく、人に対する気遣いも素晴らしいし、でも、自分にすごい厳しい人だよね！」

って言ったことをそのままほめてもいいのですが、少し言葉を変えたほうがスマートでしょう。聞いたことを思い出される心配もないですし、ね。

だから、次に会ったときにでも、さりげなく次のようにほめてみる。

「みゆきちゃんってさ……、外見的にステキなだけでなく、人に対してすごくやさしいよね～。ホントよくいろんなこと気づくし……。でもさ～、人にはすごくやさしいけど、きっと自分にはすごく厳しくしてるんだろうね……。本当に誰よりもがんばっているよね……」

すると、すごく喜ぶだろうし（口元を見ているとよくわかりますよ！）、「ひゃぁ～」

と、あなたを見る目がハートマークになるでしょう（笑）。自分の望んでいる姿を、あなたは見てくれるのですから。

だって、人からそう見られたくても、まわりの人はそうは見てくれません。親だって見てくれなかったりするのです。そんななか、あなたは見てくれる。あなたに好意を抱かないわけがありません。

もしかしたら、「そんなの人の心を操るテクニックじゃないですか！」「汚いじゃないですか！」と思うかもしれません。でも、私は操るんじゃなくて、その人をハッピーにしたり、その人の望んでいる願望を叶えてあげるテクニックだと思っています。

世の中にたった一人でも、自分の望んでいる姿で見てくれたら、これほどうれしいことはありません。

一人でも自分のことをわかってくれる人がいたら、その望んでいる姿に一歩でも近づくことができるようになると思うのです。

また、恐らく、こういう子は仕事を任せても何でもデキル子です。すると、

「みゆきちゃんは、何でもデキるよね！」

とほめてしまう。そうすると、「あ、結局この人は、私の表面しか見ていないんだ」

と思われてしまうかもしれない。しかし、

「みゆきちゃんは、ホント人一倍がんばってるよね！」

と相手の心に響くほめ方ができる。

この『魔法の質問』をするだけで、間違えたほめ方をすることもなくなるのです。

これは、恋愛だけでなく、上司と部下との関係、親と子どもとの関係、友人との関係でも非常に使えます。旦那さんや奥さんにも効果的ですよ。もちろん、私も妻に使っています（笑）。

相手の理想の恋人像があらわになる！

さて、最初に『魔法の質問』をしたときを思い出してください。

異性の好きな芸能人の理由も聞きました。これには理由があります。

たいてい、「好きな芸能人は？」と聞くと、異性の名前を先にあげます。そのとき、

ここ折る

異性の芸能人の好きな理由も聞いておくといいでしょう。もちろん、話の流れから聞いておいたほうがいいというのもありますが、ここからも相手のとっておきの情報が得られるのです。

異性の好きな芸能人の理由は、『自分の理想とする異性の好きなタイプ』なのです。

だから、あなたはその理由を意識して、相手に接すればいい。

先ほどの例では好きな理由を、

「そうね〜、あのインテリっぷりといい、なんだろう……。自然体なんだけど、それでいて、前に出たときにはオーラが出るみたいな！」とか、

「そうそう、あのなんかちょっとスウィートなフェイスが最高なの！（笑）」

などと答えていたので、インテリっぽく、さわやかな自然体で相手に接する。そして、自分の得意分野やここぞというときには、少し強い男像で接したりとか、ね。

服装や髪形、話し方やしぐさなども、好きな異性の芸能人に近づけるとなおいいでしょう。顔が似てなくていいですよ。だって、櫻井翔くんの顔にはなかなかなれないでしょう（笑）。ただ、雰囲気を近づけることはできます。

ここ折る

この『魔法の質問』はカンタンに使えるわりに、非常に効果的ですので、ぜひ使ってくださいね！

恋愛も仕事での成功も「器」が大切

やはり、人は誰しも自分のことをハッピーにしてくれる人と一緒にいたいもの。そのためには、あなたがハッピーを与えてあげること。もしくは、あなた自身がハッピーそうでなければなりません。**あなたがハッピーにしていれば、それが伝染して相手もハッピーになっていきます。**明るい人と一緒にいると、知らないうちに明るくなっているのと同じことです。

ここまでテクニックなどもお伝えしてきました。しかし、本当はどうすればモテるか、ではないのです。

あなたがどういう人で在るか、が重要なのです。

昔の恋人や友人の悪口をカゲで言ったり、恋人が見ていないからといって裏切るような行動をしたり、自分が嫌いだと自分のことを批判や否定ばかりしているとしたら、あなたがそういう人だからモテないのです。

よく成功するためには、自分自身の「器」が大切だといいます。お金持ちになるためには、お金が入ってくるだけの「器」をつくる必要がある、と。「器」ができれば、自然と向こうのほうからその「器」に見合うだけのお金が入ってくるようになる、と。

確かにその通りです。

しかし、「器」ができていないまま、急に大金が入ってきたら大変です。

「器」ができていないから、人に対してものすごく横柄な態度をとるようになったり、誰かが自分のお金を狙っているんじゃないかと疑心暗鬼になったり、今の仕事がバカらしくなって急に無断欠勤して行かなくなったり、お金の使い方や持ち方もわかっていないから、無駄に使ったり……。そして、結局、気づいてみたら、多額の借金と、今まで一生懸命がんばって築いてきた仕事や大切な家族や友人を失い、最終的には不幸になってしまったりする。

これは宝くじで大金を当てて急にお金持ちになった人や、あんなに稼いでいたのに破産した芸能人などを見ればよくわかること。

これは恋愛もまったく同じです。

だから、まずはあなたがステキな恋人ができるだけの「器」をつくる必要があるのです。そうすれば、自ずと相手のほうからあなたに近づいてくるのです。

潜在意識がわかっている人なら、このことがよくわかると思います。

意識の世界では、「恋人ができたら、今度はやさしくしたり幸せにしよう」ですが、潜在意識の世界では、「やさしく幸せにしてくれる人だから、恋人ができる」なのです。

意識の世界とは違い、「器」が先なのです。

お笑い芸人を見ていると、よくわかるのではないでしょうか？　ずっと下積みを続けて「器」をつくってきた芸人は、時間はかかっても大成します。しかし、いわゆる一発屋と言われる急にブレイクした芸人は、気づいたら消えていることが多い。

「器」をつくれば、あなたの潜在意識がそれに見合う人を導いてくれるわけです。

では、あなたはどういう「器」をつくればいいのでしょうか？

まだ恋人がいなかったとしても、未来の相手をハッピーにしてあげられるだけの「器」をつくればいいのではないでしょうか？

そのためには、**今、あなたに恋人がいなかったとしても、相手をハッピーにできる人でなければなりません。**

そう考えてみると、これからのあなたの言動（言葉と行動）が、他人に対しても、自分に対しても、どうすればいいのかわかってくるのではないでしょうか——。

これでピタッと止まる！

どうしたら出会えるか、どうしたらモテるかではない。あなたがどういう人で在るかが重要。普段の言動に気を配ろう。

エピローグ

「できたところ」を見てあげよう！

ずっとあがり症で悩んでいた、あなたの大切な恋人がこの本を読み、

「あがりを絶対に克服しよう！」

と一生懸命がんばったとします。

特に1ヶ月に1回順番がまわってくる、3分間スピーチを何より苦手としていました。あがり症ですが、3分間なんとか話すことはできます。しかし、人前に立つと、全身がガクガク震えてしまい、それを何より気にしていたのです。

朝礼当日、またも恋人は緊張してしまい、自分の納得する結果を得ることができませんでした。恋人は、

「結局、ダメだった……」

とひどく落ち込みました。

でも、聞いてみると、以前よりは少しだけよくなったそう。

まだ足はガクガク震えていたそうですが、手は最初のほんの少ししか震えなかった。話も今まで3回ぐらい飛んでいたらしいが、今回は1回だけだった。ためしに緊張度合いを度数で表してもらったら、以前は「10段階中9」ぐらい緊張していたらしいが、今回は「10段階中6」ぐらいだったそう。

このことを聞いたあなたは、恋人に、

「ほら、やっぱりダメだったな」

「まだまだ、ダメだな！　がんばった意味なかったじゃん！」

「10段階中6って、ぜんぜん下がってないじゃん！」

などと否定するでしょうか？　それとも、たとえば、

「え～！　よかったじゃん!!　手の震えが止まったんだ！　どうだった、震えが止まったときって？　でも、よくがんばったよね！」

とほめてあげたり、恋人の成長を喜んだり、

「どんどんよくなっていくよね！　これからが楽しみだね！」

などと励ましたり、応援してあげるのでしょうか？

きっと、心やさしいあなたは、恋人をほめてあげたり、励ましてあげるのではないでしょうか？

だって、あなたの大切な恋人が、自分の苦手とするあがり症から、逃げずに一生懸命がんばってきたのですから。しかも10段階中6まで下がったなら、よくなった証拠です。


あなたの最大の批判者は、あなた自身だ！


しかし、これが自分の場合だとどうでしょう――。

がんばったけど、恋人と同じように希望していた結果が出なかった。

このように、**うまくいかなかったとき、あなたは自分自身にどんな言葉をかけているのでしょうか？**

「だから、オレはダメなんだよ！」

「ほら、やっぱりダメだった……」

「オレ、ぜんぜんダメじゃん！　なんでできるようにならないの？」

「まだ10段階中6もあるのかよ。がんばったって、結局変わらないじゃん！」

「結局、緊張なんかとれないじゃん!!　どうせ、オレの緊張はとれないよ！」


このように自分を否定するようなことばかり言っているのではないですか？

それで、これからやる気になると思いますか？

あなたの大切な恋人にそのまま、その言葉をかけてみてください。

どれだけ落ち込むでしょうか！　どれだけ傷つくでしょうか！　せっかく苦手なことに立ち向かっていたのに、やめてしまうかもしれないのではないでしょうか！　相手の可能性をつぶしているだけではないでしょうか！

何が言いたいかと言えば——

多くの人は、せっかく自分でがんばったにもかかわらず、まだやったばかりなのに、ちょっとできなかったぐらいで、自分を否定したり、いじめたり、傷つけ

ているのです。本当は成長しているにもかかわらず、自分の「できなかったところ」ばかりを見て、自分を否定し、責めてばかりいるのです。

それは自分を厳しくしているのではありません。いじめているだけです。自分に厳しくとは、いじめるのではなくて、どんどん成長させていくためにがんばっていくことです。

多くの人は「できなかったところ」ばかり見ます。そうでなくて、**「できたところ」を見てあげてほしいのです。**

そして、その「できたところ」やその「がんばったところ」「少しでも成長したところ」を、自分自身でほめてあげてほしいのです。何かしらのご褒美をあげてもいいかと思います。

もっと、自分自身を大切にしてください。もっともっと自分自身を成長できるように励ましてあげてください。

あなたがあなた自身の最大の批判者になって、どうするのでしょうか?

あなたがあなた自身の可能性をつぶしてどうするのでしょうか?

あなたの大切な恋人のように、もっとあなた自身を大切にしてあげてください。

生まれてから死ぬときまで、ずっとあなたと一緒にいるのは、あなた自身のみなのですよ。

あなたは、最後まであなたの味方でいてあげてください。あなた自身をいつも応援してあげてください！

あなたのまわりにいる人たちを見てみよう

人は、「緊張」や「あがり」という言葉を借りて、結局は自分のことしか見ていません。自分のことしか考えていません。

『見ている側』になると、相手に気持ちを向けることができるようになってきます。まわりがよく見えるようになってきます。

あなたのまわりにいる——
あなたのことを一生懸命育て、いつも愛情を注いでくれている、年老いてきた両親。
あなたをこの世でたった一人選んでくれ、いつもカゲで支えてくれている妻や夫。

あなたのことを心から信じ、いつも味方でいてくれる恋人。
あなたに最高の笑顔を見せてくれる、あなたの子どもたち。
あなたのことを信頼し、目をかけてくれる上司や恩師たち。
あなたに厳しく接するのは、本当はとてもきついことなのにあえてしてくれる先輩。
あなたをいつも助けてくれている部下や後輩たち。
あなたの見えないところで、本当はあなた以上に一生懸命がんばっている同僚たち。
あなたを信頼してくれているお客さんやクライアントたち。
あなたが困ったとき、落ち込んだとき、手を差し伸べてくれる友人たち。

あなたのまわりにいる大切な人たちが、よく見えるようになってくるのではないでしょうか――。
あがるとか、あがらないとか、そんなことよりも大切なことが見えてくるのではないでしょうか――。

私は『見ている側』に立つことで、確かにあがらなくなりました。

しかし、それ以上にもっと大切なことが見えるようになった気がします。

最後までお読みいただき、ありがとうございました。

本書の内容には、私がとても尊敬するカリスマセラピストの石井裕之先生から教えていただいたこと、それによって見えてきたことも数多く含まれています。石井先生には感謝してもしきれません。この場をお借りして、心よりお礼を伝えさせていただきます。石井先生のご著書は、どれも素晴らしいので、ぜひ読まれてみることをおすすめします。きっといろいろなことが見えてくるようになりますよ。

実は、この本は内容がまったく違う「話し方」のテクニック系の本だったんです。実際に私も2／3ぐらい書いていました。しかし、どうしても内容に納得がいかなかった。そこで、私の完全なわがままだったのですが、まったく違う内容の企画を新たに提案したのです。それを大和書房の三輪謙郎さんは、文句のひとつも言わずに快く引き受けてくださいました。「話し方」の原稿締め切りは過ぎていたし、日程も私の仕事の都合に合わせ大きく変更していただいたにもかかわらず……です。いろいろ調整も大変だったことでしょう。三輪さんがいたからこそ、この本を書くことができました。本当に感謝しております。

今回は2冊ぶん書いていますので、長い間、土日も返上して執筆しました。妻はそのぶん、大変だったと思います。いつも本当にありがとう！

そして、本書を最後の最後まで読んでくださったあなたへ。こうしてあなたが読んでくれるから、10冊目となる本を書く機会を得ることができました。あれだけ文章が大の苦手で、嫌いだったにもかかわらず……。本当に人は変われるものだとつくづく感じています。でも、それは、こうしてあなたが最後まで読んでくれたり、応援してくれたり、喜びの感想などをくださるおかげです。本当にありがとうございます!!

きっとあなたも、大の苦手なことがあったとしても、変われるはずです！　私はがんばっているあなたをいつも応援しています。

森下　裕道

森下裕道（もりした・ひろみち）

パーソナルモチベーター。接客・営業コンサルタント。

株式会社スマイルモチベーション代表取締役。他2社を経営。

中央大学卒業後、株式会社ナムコ（現・株式会社バンダイナムコアミューズメント）へ入社。異例の早さで新規事業店の店長に抜擢。独特な接客法で、月間売上1億円の達成や不振店舗を次々に立て直し、カリスマ店長と呼ばれるほどに。現在は接客、営業、人材育成、人間関係のコミュニケーション問題の観点から講演活動、執筆などで幅広く活躍。

著書には、『短くても伝わる対話「すぐできる」技法』（大和書房）、『店長の教科書』（すばる舎）、『自分の居場所の作り方』『なぜ、あの占い師はセールスが上手いのか？』（以上フォレスト出版）、『心理接客術』（ソシム）など多数。


本作品は小社より二〇一一年八月に刊行されました。

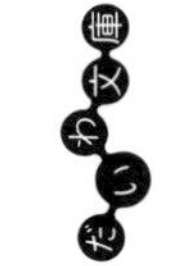

一対一でも大勢でも人前であがらずに話す技法

著者　森下裕道

二〇二一年一月一五日第一刷発行

発行者　佐藤 靖
発行所　大和書房
東京都文京区関口一-三三-四 〒一一二-〇〇一四
電話 〇三-三二〇三-四五一一

フォーマットデザイン　鈴木成一デザイン室
本文デザイン　Isshiki（八木麻祐子＋青木奈美）
本文イラスト　坂木浩子
本文印刷　厚徳社
カバー印刷　山一印刷
製本　ナショナル製本

ISBN978-4-479-30849-2
乱丁本・落丁本はお取り替えいたします。
http://www.daiwashobo.co.jp